Extra

Waarom sierschildpadden?

Waterschildpadden zijn minder populair als huisdier dan bijvoorbeeld vogels of vissen, maar ze hebben toch een grote kring van liefhebbers. Enkele jaren geleden was het zelfs een rage om voor weinig geld zo'n schattig klein waterschildpadje in een schaaltje met plastic palmpje te kopen. Ook het potje kant-en-klaar voer ontbrak niet. Kenners werden treurig gestemd door deze aanblik, in de wetenschap dat het overgrote deel van deze dieren het eerste jaar niet zou overleven.

In verre landen worden schildpadden niet alleen als huisdier verhandeld. Op deze markt worden ze voor de menselijke consumptie verkocht.

De weinige dieren, die het wel overleefden, bleken groter en bewerkelijker te zijn, dan de eigenaren zich vooraf gerealiseerd hadden. Waar moeten ze dan heen? In ieder geval niet in de dichtstbijzijnde sloot of vijver, want daar horen ze niet thuis. Het loslaten van bijvoorbeeld Roodwang-schildpadden is echter een vorm van 'faunavervalsing'. Ze komen weliswaar niet tot voortplanting in ons klimaat, maar de introductie van uitheemse dieren leidt tot concurrentie met inheemse diersoorten

IMPORT

Bij de massa-import van jonge schildpadjes ging het voornamelijk om de Noordamerikaanse Roodwang-sierschildpad (*Chrysemys scripta elegans*). Er was geen gevaar dat door de import de soort uitgestorven dreigde te raken in de herkomstgebieden. De geïmporteerde dieren zijn namelijk voor het overgrote deel afkomstig van schildpaddenkwekerijen, in het zuiden van de Verenigde Staten.
De import is een legale aangelegenheid, de Roodwang-sierschildpad en de andere, in dit boek besproken schildpadden zijn (nog) niet opgenomen in de Nederlandse lijst van beschermde, of bedreigde uitheemse diersoorten. Gelukkig is de mode, om een Roodwang te nemen weer enigszins voorbij. De dieren verdienen een beter lot.

GESCHIKTE SOORTEN

Sierschildpadden hebben hun naam niet toevallig. Ze zijn door hun opvallende, contrastrijke tekening en hun levendigheid, verreweg het meest geliefd onder de waterschildpadden. Daarom beperkt dit boek zich hoofdzakelijk tot deze soortengroep. Er is echter ook veel over andere soorten te vermelden. Daarover meer in het laatste hoofdstuk op bladzijde 54. Sierschildpadden zijn geschikte soorten omdat ze aantrekkelijk zijn, maar dit is niet hetzelfde als gemakkelijk. Zoals gezegd stellen ze eisen aan hun verzorging en verzorgers. Vaak zijn die eisen verschillend voor de diverse soorten sierschildpadden.
Het doel van dit boek is dat de houders van sierschildpadden hiervan doordrongen raken, waardoor de dieren een optimale verzorging krijgen en hun eigenaren er maximaal plezier aan beleven.

Schildpadden zijn een zeer oude groep. Dit fossiel, afkomstig uit Messel (Dld.), leefde in het Eoceen.

Biologie en Herkomst

Wat zijn sierschild-padden?

Wereldwijd zijn er zo'n 220 schild-padsoorten, die door de wetenschap naar hun verwantschap in 12 families ingedeeld worden. De meest omvang-rijke van deze families is die van de Emydidae (Moerasschildpadden).

Met sierschildpadden wor-den meestal de soorten van het geslacht *Chrysemys* aangeduid. In oudere boe-ken vindt men een deel van deze soorten nog on-der de naam *Pseudemys*. De verdeling in de geslachten *Chrysemys* en *Pseudemys* wordt in de nieuwere lite-ratuur echter niet meer volgehouden.

UITERLIJK

De naam sierschildpadden verwijst naar de contrast-rijke, bonte mengeling van lijnen, vlekken en kringen in groen, geel en rood op het rugpantser, kop en po-ten.
Het zeer nauwverwante ge-slacht *Graptemys* zou men hier ook toe kunnen reke-nen, maar dit wordt aange-duid als de zaagrugschild-

pad. Het opvallendste on-derscheid met het geslacht *Chrysemys* is de vorm van het rugpantser. Vooral bij de jonge dieren vindt men een dakvormig rugpantser, met een duidelijke 'nok', waarop zich meer of min-der uitgesproken haakjes kunnen bevinden.

LICHAAMSBOUW

Wat hun vorm betreft zijn sierschildpadden typische moerasschildpadden, dat wil zeggen: hun pantser is - vergeleken met de land-schildpadden - tamelijk vlak. Het is bij jonge die-ren van boven gezien bijna cirkelrond, bij oudere die-ren ovaal. Aan de poten kan men zien dat het goe-de zwemmers zijn. Zoals

Hiërogliefen-sierschildpad.

De Roodwang-sierschildpad en zijn herkomst.

Roodwang-sierschildpad.   **Geelbuik-sierschildpad.**

de meeste schildpadden kunnen ze kop en poten helemaal in het pantser terugtrekken. Het pantser bestaat uit het buikpantser en het rugpantser (plastron en carapax), die aan de zijden verbonden zijn. Het pantser is opgebouwd uit beenplaten, bedekt met hoornschilden.

SOORTEN EN ONDERSOORTEN

Het aantal vormen van bestaande sierschildpadden is slechts bij benadering aan te geven, omdat de afgrenzing van soorten en ondersoorten zeer moeilijk is. De wetenschappers zijn het hier onderling nog lang niet over eens. Volgens de indeling van F.J. Obst (1983), omvat het geslacht *Chrysemys* 6 soorten, die

onderverdeeld zijn in 41 ondersoorten. Het geslacht *Graptemys* wordt volgens Wermuth en Mertens (1961) gevormd door 6 soorten, met gezamenlijk 11 ondersoorten. Het is onmogelijk om hier alle soorten en ondersoorten te beschrijven. Voor de leek is het al moeilijk om alle ondersoorten te herkennen, maar ook specialisten zijn regelmatig niet in staat om de kruisingen die de natuur voortbrengt, op naam te brengen. De meeste van deze soorten of ondersoorten komen niet in de handel, omdat ze niet geëxporteerd worden uit hun, vaak zeer kleine, verspreidingsgebied. Hetzelfde geldt voor de soorten uit Midden- en Zuid-Amerika en het Caraïbisch gebied. Het aanbod voor de liefhebber

bestaat voornamelijk uit vormen die in Noord-Amerika wijd verbreid zijn. Hierna zal - zonder volledig te willen zijn - een overzicht worden gegeven van de algemeen verkrijgbare sierschildpadden, met hun herkomst en hoe ze te herkennen zijn.

GEELBUIK-SIERSCHILDPAD
Chrysemys scripta scripta

Het opvallendste kenmerk van deze sierschildpadden is een gele, horizontale streep achter de ogen. Op de zijschildjes van het rugpantser zijn gele banden zichtbaar en op het voorste gedeelte van het buikpantser zien we enige ronde, donkere vlekken.
Het verspreidingsgebied

van de Geelbuikschildpad is het zuidoosten van de Verenigde Staten, van Virginia tot Florida.

ROODWANG(SIER-)-SCHILDPAD
Chrysemys scripta elegans

Deze sierschildpad ontleent zijn naam aan de rode streep achter de ogen. De schildpad komt wijd verbreid in het midden van de Verenigde Staten voor, van Illinois tot de Golf van Mexico en van Tennessee tot Texas.

FLORIDA-SIERSCHILD-PAD
Chrysemys floridana

Het buikpantser van de Florida-sierschildpad is gelig, zonder tekening. Er zijn drie ondersoorten. Het verspreidingsgebied ligt in het zuidoosten van de V.S., van Virginia tot Texas.

HIËROGLIEFEN-SIER-SCHILDPAD
Chrysemys concinna hieroglyphica

De Hierogliefen-sierschildpad heeft een donkere tekening langs de naad van het buikpantser. Er zijn vier ondersoorten. Ze zijn moeilijk van *Chrysemys floridana* te onderscheiden; de kruising van beide soorten wordt algemeen gevonden.

Geelbuikschildpadden leven in dergelijke 'bogs'; veenplassen die alle door regenwater gevoed worden.

FLORIDA-ROODBUIK-SIERSCHILDPAD
Chrysemys rubriventris nelsoni

Kenmerkend voor Florida-roodbuiksierschildpadden is, zoals de naam al zegt, de meer of mindere rode buik. Het verspreidingsgebied ligt in Florida.

SIERSCHILDPAD
Chrysemys picta

De 'echte' Sierschildpadden hebben een opvallend glad rugpantser. De onderrand van het rugpantser heeft een zwart-rode tekening. Er zijn vier ondersoorten:
Chrysemys picta picta

Hiërogliefen-sierschildpad.

Het buikpantser van deze ondersoort is geelachtig en heeft geen tekening. Hij komt langs de oostkust van Noord-Amerika, van Zuid-Canada tot Georgia voor.

Chrysemys picta dorsalis

Ook bij de 'Zuidelijke sierschildpad' heeft het buikpantser geen tekening. Op de rug zit een oranje-rode

Jonge Roodbuik-sierschildpadjes hebben al de rode buik, waaraan ze hun naam te danken hebben.

aalstreep. De schildpad leeft in de delta van de Mississippi, van Illinois tot de Golf van Mexico.

Chrysemys picta marginata

Bij deze ondersoort zit er een langwerpige, donkere tekening op het midden van het buikpantser. Het verspreidingsgebied is van het zuiden van centraal Canada tot Tennessee.

Chrysemys picta belli

Bij de 'Westelijke sier-schildpad' is deze tekening uitgebreid over het hele buikpantser. Zijn leefom-geving ligt in het westen van Zuid-Canada tot Mis-souri en Oregon.

Westelijke sierschildpad *(Chrysemys picta belli)*.

OVERZICHT VAN DE SOORTEN

Wetenschappelijke naam	Nederlandse naam	Amerikaanse
Chrysemys concinna hieroglyphica	Hiërogliefen-sierschildpad	Slider
Chrysemys floridana	Florida-sierschildpad	Cooter
Chrysemys picta	Sierschildpad	Painted Turtle
Chrysemys rubriventris nelsoni	Florida-roodbuiksierschildpad	Red-bellied Turtle
Chrysemys scripta elegans	Roodwangschildpad	Red-eared Turtle
Chrysemys scripta scripta	Geelbuikschildpad	Yellow-bellied Turtle
Graptemys kohnii	Mississippi-landkaartschildpad	Mississippi-Mapturtle
Graptemys pseudogeographica	Onechte landkaartschildpad	False Map Turtle

Sierschildpad *(Chrysemys picta marginata).*

De Zuidelijke sierschildpad *(Chrysemys picta dorsalis)* is de kleinste sierschildpaddensoort.

MISSISSIPPI-LAND-KAARTSCHILDPAD
Graptemys kohnii

De Mississippi-landkaartschildpad heeft een dakvormig rugpantser; op de 'nok' bevinden zich haakjes. Verder valt de halvemaanvormige vlek achter de ogen op. De soort komt voor in de Mississippi-delta.

ONECHTE LANDKAART-SCHILDPAD
Graptemys pseudogeographica

Bij deze soort is het rugpantser ook dakvormig, met haakjes op de 'nok'. De gele vlek achter de ogen is ovaal tot bijna rechthoekig. Er zijn drie ondersoorten.
De Onechte landkaartschildpad leeft in het centrum van de V.S. van Wisconsin tot Louisiana.

GROOTTE

De literatuuropgaven van groottes, zijn meestal éénmalige metingen van maxima, dus uitzonderlijke lengtes. De gemiddelde grootte die in de vrije natuur en thuis bereikt wordt is duidelijk bescheidener. Zo kan de bekende Roodwang meer dan 30 cm worden; dieren van 20 tot

25 cm zijn echter al indrukwekkende exemplaren te noemen. Iets groter worden Florida-, Hiërogliefen- en Roodbuik-sierschildpadden, die bij goede condities 30 tot 35 cm kunnen worden. Dieren van meer dan 40 cm zijn echter uitzonderingen. De kleinste soort is de Sierschildpad (*Chrysemys picta*), in het bijzonder *Chr. picta dorsalis*, die hooguit 15 cm wordt. Deze opgaven betreffen de vrouwtjes. Mannetjes zijn ongeveer tweederde van deze groottes. Het opvallendste grootteverschil tussen de geslachten vinden we bij de Landkaartschildpadden. Hiervan zijn de vrouwtjes met een lengte van 20 tot 24 cm, dubbel zo groot als de mannetjes. De zeer verschillende maten kunnen verklaard worden door het feit dat schildpadden - net als alle reptielen hun hele leven doorgroeien, met dien verstande dat de groeisnelheid sterk afneemt bij toenemende leeftijd. Bij warmbloedige dieren (zoogdieren, vogels) wordt al jong de eindgrootte bereikt.

LEVENSDUUR

Extreme opgaven van de grootte bij schildpadden betreffen altijd uitzonderlijk oude dieren van 30 tot 40 jaar. De gemiddelde levensverwachting van sierschildpadden ligt echter tussen de 20 en 30 jaar. De meeste mannetjesschildpadden worden vanaf drie tot vijf jaar geslachtsrijp. De vrouwtjes hebben daar zes tot tien jaar voor nodig. De groeisnelheid en daarmee de bereikte grootte en het intreden van de geslachtsrijpheid zijn echter ook sterk afhankelijk van de omgevingsfactoren, zoals het voedselaanbod, het temperatuurverloop over de jaren en de aangeboden voedselplanten in het geval van gevangenschap.

Sierschildpadden-biotoop in het overstromingsgebied van een grote rivier (Zuid-Georgia).

Mississippi-landkaartschildpad.

KLIMAAT EN WEER

Het leefgebied van de hier behandelde schildpadsoorten bestrijkt het Noordamerikaanse continent ten oosten van de Rocky Mountains van het zuiden van Canada tot de Golf van Mexico. Dit gebied omvat zowel gematigde als subtropische klimaatzones. Het Noordamerikaanse klimaat onderscheidt zich van dat van West- en Midden-Europa door de zeer zonrijke, warme zomers en door koude winters. Schildpadden zijn koudbloedige dieren, dat wil zeggen dat ze hun lichaamstemperatuur niet - zoals bij vogels en zoogdieren - onafhankelijk van de omgevingstemperatuur kunnen regelen. Ze regelen hun lichaamstemperatuur door het voortdurend veranderen van hun verblijfplaatsen, waarbij ze zonnewarmte gebruiken om de benodigde temperatuur voor hun stofwisselingsprocessen te bereiken. In de buurt van New York observeerde ik meermalen een groep van sierschildpadden (*Chrysemys picta picta*) in een bosmeertje. Het was midden april en de watertemperatuur was hooguit 10 tot 12 °C. De schildpadden zwommen desondanks al in het kalme, heldere water. Van de voormiddag tot de namiddag verzamelden ze zich in groten getale op een schuin, zonbeschenen rotsplateau, om de benodigde lichaamstemperatuur voor de verte-ring te bereiken. Alle sierschildpadden zijn uitgesproken 'zonaanbidders'. Ze nemen daarbij liefst zo'n houding aan dat de zonnestralen loodrecht invallen en steken dan kop en poten ver uit, om de warmte beter op te nemen. Ze zijn op de warmte van straling aangewezen, maar ook de lichtintensiteit en het ultraviolette aandeel van het zonlicht beïnvloeden hun stofwisseling. Simpel gezegd kan men zeggen dat de totale som van zonneschijn van april tot oktober bepalend is voor de overleving en ontwikkeling in een gebied. De winterkou is van veel minder betekenis. Voor een overwinterende schildpad in de modder onder het ijs maakt het niet veel uit of het een paar graden warmer of kouder is.

LEEFOMGEVING

In Amerika zijn sierschildpadden in zeer verschillend uitziende wateren te vinden. Maar bij nadere beschouwing blijkt dat bepaalde wateren gemeden worden, terwijl anderen favoriet zijn. De grote *Chrysemys*-soorten leven overwegend in meren en in langzaam stromende wateren, waar een rijke vegetatie van, al of niet drijvende waterplanten dekking en voedsel verschaft. Ook de aanwezigheid van geschikte plekjes om te zonnebaden in de oeverzone speelt een rol.

De Landkaartschildpadden worden meestal in de grotere wateren gevonden, waarbij de jonge dieren en de mannetjes de ondiepe, plantenrijke oeverzones prefereren, terwijl de grotere vrouwtjes zich meer in dieper water ophouden. Ze benutten graag scheve vlakken van drijvende boomstammen om te zonnebaden. Daar voelen ze zich zeker, omdat ze zich bij gevaar alleen zijdelings hoeven weg te laten glijden, waarna ze snel onder water verdwijnen.

Bij de sierschildpadden in het noorden van de V.S. heeft men waargenomen, dat ze in het voorjaar de grote overwinteringswateren verlaten om kleine, rustige watertjes op te zoeken, waar ze zich sneller kunnen opwarmen. Later in de lente trekken ze weer naar de grotere wateren.

Normaal gesproken zijn sierschildpadden alleen op het land te vinden in de onmiddellijke nabijheid van het veilige water. Soms gaan ze echter ook verder landinwaarts, op zoek naar ander water. In Midden-Florida, tijdens een hevige onweersbui, maakte ik eens mee dat binnen een half uur minstens duizend grote Florida-sierschildpadden een weg overstaken, op weg naar een meer dat vijfhonderd meter verderop lag.

OVERDAG

Sierschildpadden zijn dagactief. 's Nachts rusten ze onder water en duiken ze van tijd tot tijd op, om adem te halen. Overdag wordt hun tijd verdeeld, afhankelijk van het seizoen en het weer, tussen voedsel zoeken en zonnebaden. Regelmatig kan men op rijke voedselplekken of zonneplaatsen grote groepen schildpadden zien, vaak meerdere soorten bij elkaar.

Onechte landkaartschildpad.

Sierschildpadden zijn onderling zeer verdraagzaam.

OVERWINTERING

De schildpadden brengen de winter door in de modder onder water. Door de lage temperaturen, die vaak niet boven de 2 tot 4 °C uitkomen, is de stofwisseling sterk gereduceerd, zodat de zuurstofbehoefte minimaal is. Hierdoor hebben de dieren geen luchtademhaling nodig. De geringe benodigde zuurstof nemen ze op door het slijmvlies. Bovendien wordt er gedeeltelijk overgeschakeld op stofwisselingsprocessen die geen zuurstof nodig hebben.

HET VOORJAAR

Met de langzaam oplopende watertemperaturen en de toenemende daglengte, ergens tussen begin maart en eind april, worden de schildpadden weer actief. Bij *Chrysemys picta* heeft men vastgesteld dat deze al bij temperaturen van 8 tot 10 °C begint te eten en te baltsen.
Bij zuidelijker levende soorten zal deze grenswaarde wat hoger liggen. De dieren zullen hoe dan ook gebaat zijn bij het zo snel mogelijk vinden van een plekje waar ze het eerste

Een moerasgebied in het centrum van Florida, waar vele sierschildpadden leven.

voorjaarszonnetje op kunnen vangen. De optimale temperatuur voor hun activiteiten ligt voor alle soorten rond de 30 °C, en elke schildpad streeft ernaar, tenminste voor enige uren per dag, deze temperatuur te bereiken. Door de opname van warmtestraling van de zon is dit ook haalbaar als de luchttemperatuur beduidend lager is. Bovendien is de lichaamstemperatuur van de dieren iets hoger dan de omgevingstemperatuur door het vrijkomen van warmte bij stofwisselingsprocessen.

DE BALTS

Met de eerste voorjaarsactiviteiten begint ook de voortplantingsdrift en de mannetjes gaan op zoek naar de vrouwtjes. Zij worden hierbij geleid door de soortsspecifieke geur van de vrouwtjes. Tijdens de balts ruikt het mannetje of het vrouwtje paringsbereid is.

Bij *Chrysemys scripta* en *Chr. picta* zwemt het mannetje schuin van voren op het vrouwtje af. Hij spreidt daarbij de voorpoten met de lange klauwen en maakt hier trillende bewegingen mee tegen de kop van het vrouwtje. Als zij paringsbereid is, klimt het mannetje achterop om zijn uitgestulpte penis in haar cloaca te brengen.

Bij *Chr. concinna, Chr. floridana* en *Chr. rubriventris* zwemt het mannetje van achter over het vrouwtje, waarbij met de voorpoten dezelfde bewegingen gemaakt worden. De verlengde klauwen bij de mannetjes dienen dus niet om het vrouwtje vast te houden. Een éénmalige paring wordt gebruikt om meerdere legsels te bevruchten.

DE ZOMER

De eiafzetting

In de vroege zomer, meestal van mei tot juli, scharrelen de vrouwtjes rond, op zoek naar een geschikte plaats om de eieren te leggen. Er wordt vooral gezocht naar zanderige, zonovergoten hellingen, die een eindje boven de waterspiegel liggen in verband met overstromingsgevaar. Om dergelijke plekjes te vinden, dwaalt het wijfje soms honderden meters van de oever af. Er wordt vervolgens met de achterpoten een kuil gegraven. De diepte hangt enigszins af van de lengte van het

Een typische zonplek voor sierschildpadden.

Sierschildpadden lopen ook geregeld over land.

pantser. De eieren worden in de kuil gedeponeerd, deze wordt afgedekt en het oppervlak wordt gladgestreken. Afhankelijk van de soort en de grootte van het vrouwtje bestaat het legsel uit vijf tot vijfentwintig eieren, bij zeer forse vrouwtjes is het soms nog groter. De vrouwtjes herhalen het leggen in de loop van de zomer vier tot vijf keer.

De jongen

De jongen komen, afhankelijk van de temperatuur, te voorschijn na 70 tot 130 dagen. Ze verlaten dan de kuil, op zoek naar water. In het noordelijke gedeelte van het verspreidingsge-

bied komt het veel voor, dat het nog te koud is voor de jongen van het eerste legsel. Dan blijven ze in het ei, of ze kruipen er wel uit, maar blijven in de nestkuil, om pas in het volgende voorjaar het water op te zoeken.

DE HERFST

Tot de nazomer hebben de schildpadden, bij een rijk voedselaanbod, hun reserves weer aangevuld. De opname van voedsel neemt daarna af en stopt uiteindelijk als de ondergrens van de temperatuur waarbij ze actief kunnen zijn, is bereikt. De dieren hebben

zich tegen die tijd teruggetrokken in de modder onder water. De winterrust is een, door de koude verstarde toestand en heeft eigenlijk niets te maken met de winterslaap, zoals we die bij zoogdieren kennen.

VOEDING

Sierschildpadden zijn op gevarieerd voedsel ingesteld en hebben in het wild een breed scala van dierlijk en plantaardig voedsel op hun menu.
Het aandeel van plantaardige kost verschilt per soort en leeftijdsklasse.
Van volwassen Florida- en Hiërogliefen-sierschildpad-

Met hun scherpe klauwen zijn ze in staat hindernissen op land te overwinnen.

den weten we dat ze in veel gevallen bijna vegetarisch zijn.

In de bodem wortelende, maar ook drijvende waterplanten en algen hebben de voorkeur. Jonge dieren leven bijna uitsluitend van dierlijk voedsel; met het ouder worden groeit het plantaardig aandeel in het voedsel. Bij de jongen bestaat het dierlijk voedsel uit kleine kreeftachtigen (watervlooien, vlokreeften), maar ook insectenlarven en verschillende soorten wormen.

Huisjesslakken worden weer door de grotere dieren graag gegeten.

Een sierschildpad is meest-al niet in staat een gezonde vis te verschalken, maar is zeer geïnteresseerd in dode vis. Dientengevolge spelen sierschildpadden, als ze in groten getale voorkomen, ook een rol als 'gezondheidspolitie', omdat ze aas opruimen. In hun voedingsgedrag zijn het ware opportunisten, die zich makkelijk instellen op hetgeen er het meest voorhanden is.

ETEN EN GEGETEN WORDEN

Aan de zeer hoge leeftijd die sierschildpadden kunnen bereiken, gecombineerd met het grote aantal eieren dat ze leggen, kan men afleiden dat de weg van ei naar geslachtsrijp dier zeer veel afvallers kent. Inderdaad blijkt er een ruime variatie aan natuurlijke vijanden te zijn. De eieren zelf hebben al hun specifieke liefhebbers. Vossen, wasberen en opossums graven de nestkuilen veelvuldig uit. Ook de net uitgekomen jongen zijn, op weg naar het water, aan veel gevaren blootgesteld. Voor kleine roofdieren zijn kleine babyschildpadjes een lekker hapje, maar ook roofvogels, kraaien en meeuwen pikken hun graantje mee.

In het water aangekomen,

Drijvende bladeren bieden ook de jonge dieren dekking.

zijn de kleine schildpadjes nog niet veilig, omdat reigers en andere watervogels jacht op ze maken. De vaak in dezelfde wateren voorkomende Bijtschildpadden eisen eveneens hun tol, bovendien belandt menig schildpadje in de

pi-alligator voor. De alligator is zeker één van de hoofdvijanden van de sierschildpadden. Mogelijkerwijs hangt hiermee samen dat alle, in het verspreidingsgebied van de alligator levende sierschildpadsoorten, een bijzonder sterk pantser ontwikkeld hebben in de loop van hun evolutie.

Tot slot is ook de invloed van de mens op het schildpaddenbestand niet uit te vlakken. In het zuiden van de V.S. zijn grote sierschildpadden altijd een welkome aanvulling op het menu geweest. Van groter belang

zijn echter de ingrijpende veranderingen die het landschap heeft ondergaan door ontginningen, wegenbouw en milieuverontreiniging, waardoor veel schildpadbiotopen verstoord of zelfs vernietigd zijn.

maag van een snoek. De grote schildpadden zijn door hun sterke pantser veel beter beschermd, maar hun leven is ook niet zonder gevaar. Voor alle in het zuidoosten van de V.S. levende sierschildpadden, van Florida tot Texas, komt in het overeenkomstige biotoop de Mississip-

Met hun scherpgerande, hoornen kaken kunnen de schildpadden geducht van zich afbijten.

Aankoop en huisvesting

Een sierschildpad komt in huis

Sierschildpadden geven veel plezier, als men een juiste aanschaf doet en zorgt voor een huisvesting die bij de soort past.

BELANGRIJKE OPMERKING VOORAF

Schildpadden zijn en blijven wilde dieren, ook als ze in een menselijke omgeving geboren zijn. Echte huisdieren zoals honden, konijnen en kanaries hebben zich in de loop van vele generaties aan de mens aangepast - daarvoor hebben de schildpadden nog geen gelegenheid gehad.

Hun gedrag is op een leven in vrijheid afgestemd. Het snelle onderduiken vanaf een zonplek, zoals we dit bij dieren in gevangenschap zien, is in de natuur een reactie van levensbelang. Daarom kan het schildpaddenverblijf het beste in een rustig deel van de kamer opgesteld worden, waar de dieren niet voortdurend gestoord worden.

Men dient de dieren ook niet vaker dan nodig is in de hand te nemen. Het gegrepen en vastgehouden worden is voor een wild dier een stressvolle situatie. In geen geval zijn

Sierschildpadden hebben een groot terrarium, met voldoende zwemruimte nodig, maar in de zomer voelen zijn zich buiten het prettigst.

schildpadden geschikte 'speelmaatjes' voor kleinere kinderen; de groteren kunnen echter veel plezier beleven aan observatie en het meehelpen bij de verzorging.

Bij de aanschaf van schildpadden moet men maat zien te houden. Voor een gemiddeld schildpaddenverblijf binnenshuis zijn twee of drie dieren genoeg, liefst van dezelfde soort, of anders nauw verwant. De groottes van de dieren mogen niet te zeer uiteenlopen, anders worden de kleintjes verdrongen bij het voeren.

TIP: Een klein aantal dieren heeft het voordeel dat ze met de hand gevoerd kunnen worden, bijvoorbeeld met behulp van een pincet. In zo'n geval weet men precies hoeveel het dier al gegeten heeft, en het water blijft schoner. Overbezette bakken veroorzaken niet alleen stress bij de dieren, maar ook bij hun verzorger. ■

► Kijkt u vooral ook goed of de schildpad gezond is (Checklist p. 43)

GESLACHTSONDER-SCHEID

Voor de liefhebber die schildpadden wil kweken, is het natuurlijk belangrijk, dat de geslachten onderscheiden kunnen worden. Bij grote dieren is dit geen probleem. Bij schildpadden liggen de uitgangen van de darm, urinebuis en geslachtsorganen

Schildpadbaby's zijn weliswaar schattig, maar men kan beter grotere dieren aanschaffen.

in de zogenaamde cloaca. Dat wil zeggen dat men bij de aanhechting van de staart alleen een lichaamsopening ziet. Het mannelijk geslachtsorgaan ligt ingestulpt in de cloaca. Daarmee hangt samen dat de cloaca-opening meer naar achteren ligt en dat de staart duidelijk breder en langer is dan bij de vrouwtjes. Bij mannetjes is het buikpantser iets naar binnen gewelfd, bij vrouwtjes is dit vlakker. Sierschildpadden hebben echter nog een, zeer opvallend geslachtsonderscheid: de nagels van de voorpoten zijn bij mannetjes veel langer dan bij vrouwtjes. Bij zeer jonge schildpadjes zijn de geslachten nog niet uit elkaar te houden. Pas na twee of drie jaar is een onderscheid mogelijk als meerdere dieren vergeleken worden.

Voor men schildpadden aanschaft, moet men vanzelfsprekend overdacht hebben, hoe de dieren ondergebracht gaan worden. Voor een paar babyschildpadjes volstaat natuurlijk een eenvoudig aangepast, klein tot middelgroot aquarium. Zulke geïmproviseerde schildpadverblijven hebben echter het nadeel, dat ze algauw een permanent onderkomen worden, waarmee de schildpadden, noch hun eigenaar tevreden zijn. Bij de aanschaf van de dieren kan men dus het beste al vooraf gepland hebben hoe de uiteindelijke huisvesting eruit gaat zien, wanneer het ingericht gaat worden en waar dit in de kamer een plek gaat krijgen.

HET SCHILDPADDEN-VERBLIJF

De ideale en complete huisvesting is voor grotere sierschildpadden niet of nauwelijks in de handel verkrijgbaar. Bouwmateriaal is echter overal verkrijgbaar en met een beetje fantasie en handigheid bouwt u zelf een fraai onderkomen. Bent u geen doe-het-zelver, dan kunt u natuurlijk ook het onderkomen, naar uw wensen en maten, door een vakman laten maken. Voor twee of drie middelgrote Roodwangschildpadden is een bak met een bodemoppervlak van 100 bij 50 cm toereikend; groter mag natuurlijk ook.

Het landgedeelte
Dit moet ongeveer eenderde tot eenvierde maal zo

Het felle, verwarmende zonlicht...

groot zijn als het watergedeelte en het moet stevig vastzitten. Een drijvend eilandje, bijvoorbeeld van een stuk kurk, volstaat niet.

Niet alleen omdat de schildpadden moeite hebben om hier op te klauteren, maar ook omdat het landgedeelte voor een goede gezondheid van de dieren beslist droog moet zijn. Men kan het landgedeelte maken door het vastlijmen van een afscheidingsplaat, waarachter met geschikt materiaal de ruimte opgevuld wordt. Dit is vooral van toepassing voor grote onderkomens, waar men in wil kweken, omdat zo meteen een geschikte plek voor het eileggen ontstaat. Bij kleinere bakken is het nadeel van deze methode dat veel plaats voor het watergedeelte verloren gaat. Hier is het gunstiger om de hele bak voor het watergedeelte te benutten en het landgedeelte erboven vast te zetten. In een aquarium plakt men daartoe enige stroken glas met siliconenkit aan de wanden. Hierop komt dan een plateau van glas of kunststof op enige centimeters boven het wateroppervlak. In plaats van een plateau kan ook een passende schaal of bakje met een geschikte vulling gebruikt worden. Langs de

zijde van het landdeel wordt vervolgens een soort loopplankje onder een hoek van ca. 45° aangebracht, dat een stuk onder water steekt. Om de schildpadden goed te kunnen laten lopen worden de helling en het plateau met ruw materiaal bedekt. Hiervoor kan men een stuk tapijt of kunstgras gebruiken.

De dieren kunnen zo ook onder het 'land' zwemmen en ze rusten graag uit onder dit donkere gedeelte. Bij grotere bakken is het ook mogelijk, om een uitsparing te maken in het plateau en hier een bakje met bodemmateriaal in te hangen.

Ook is een verblijf denkbaar, waarbij een aquarium of een kunststof bak uitsluitend als watergedeelte

dient. Het landgedeelte wordt dan als een uitbouw van hout of een ander materiaal, naast of achter de bovenrand van het aquarium geplaatst. Slechts de fantasie en de handigheid van de schildpadverzorger is hier beperkend. Vanwege hun onbeweeglijke pantser hebben ze moeite om over een loodrechte richel op het landgedeelte te komen, daarom moet ook bij bakken waar een scheidingsplaat tussen land en water is aangebracht, een helling of trapje gemaakt worden. In kleinere aquaria die als kweekbakken bedoeld zijn, kan men een landdeel maken door een aantal keien of klinkers te stapelen. De stenen zullen spoedig met algen begroeid zijn, wat er zeer decoratief uitziet.

... moet binnen door lampen vervangen worden.

Het oog wil ook wat

Aan een schildpaddenverblijf dat in de huiskamer opgesteld staat, hoeft men niet alleen eisen te stellen in het belang van het welzijn van de bewoners; het mag ook gewoon mooi zijn. Hierbij speelt uiter-

Beplanting

In tegenstelling tot wat het bovenstaande suggereert, hoeft men geenszins van beplanting af te zien.
Een plantenkast achter of naast het domein van de dieren, of overhangende stammetjes met epiphyten

Decoratiemateriaal

Tegen de achterwand kan men kurkplaten of vergelijkbaar materiaal aanbrengen. Zeer praktisch zijn ook platen van leisteen, die men in verschillende vormen en groottes bij een aquariumhandel, of bij een handel in dakbedekkingsmateriaal, kan kopen. Als deze voor de achterwand gezet worden, komt er diepte in het geheel.
Wie, in verband met het schoonmaken, in het watergedeelte liever geen zandbodem heeft, maar een blanke glasbodem lelijk vindt, kan leistenen gebruiken om de bodem mee af te dekken.
Er is nog heel veel ander materiaal om naar eigen inzicht mee te experimenteren, zoals stukken boomschors, bamboe stokken, keien, of stukken wortel van bomen of struiken.

Om te rusten benutten sierschildpadden graag ondiepe plekjes, waar ze met de poten aan de grond, nog net hun neus boven water kunnen steken.

aard de fantasie een belangrijke rol, daarom worden hier ook maar een paar aanwijzingen gegeven.
Het water- en landgedeelte kan men helaas niet beplanten zoals bij een terrarium of aquarium. De schildpadden zouden hier snel mee afrekenen. Beplanting is zelfs voor de kleinste schildpadjes niet veilig.

geven het verblijf een heel natuurlijk, fraai aanzien. Makkelijke, snelgroeiende planten zijn er in overvloed, zoals *Philodendron*, *Ficus*, *Scindapsus*, Graslelie en siergrassen.
In een ruim verblijf kunnen ook bepaalde hoeken voor planten gereserveerd worden, waar de schildpadden niet bij kunnen.

DE WATERSTAND

De waterstand moet minimaal de hoogte hebben van de pantserbreedte van de grootste schildpad. De schildpadden moeten zich namelijk kunnen omkeren als ze op hun rug terecht komen, anders kunnen ze verdrinken. Aangezien sierschildpadden zeer goede zwemmers zijn, is het

EEN TERRARIUM VOOR SIERSCHILDPADDEN

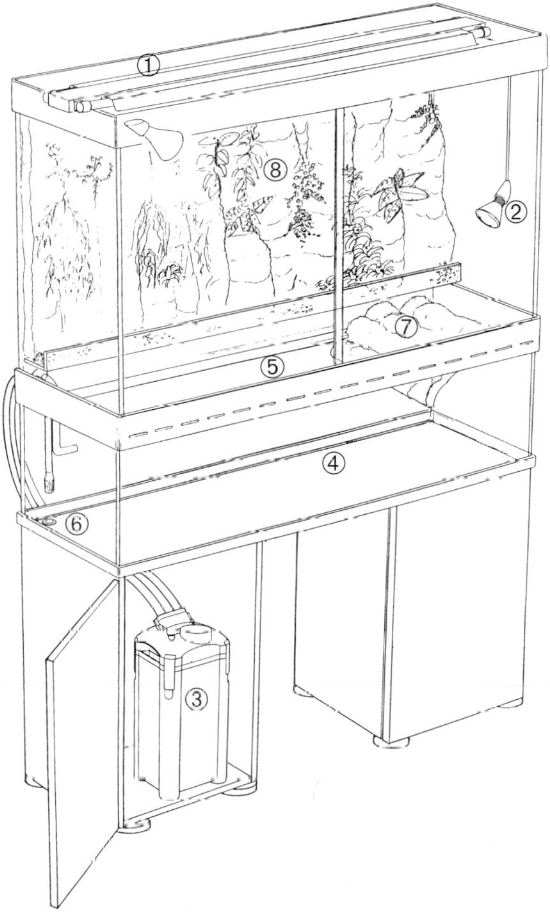

1 Verlichting

2 Warmtestraler

3 Thermofilter

4 Waterbekken

5 Wateroppervlak

6 Afvoer

7 Landgedeelte

8 Achterwand met beplanting

aan te bevelen om de waterstand flink hoger te maken, zodat ze veel bewegingsruimte hebben.
Het is ook aan te raden om een gedeelte van het watergedeelte zó ondiep te maken, dat de dieren, al steunend met hun achterpoten op de bodem, hun kop boven het water kunnen steken. Deze mogelijkheid wordt door de schildpadden graag benut, omdat ze dan niet naar het oppervlak hoeven te zwemmen om te ademen.
De ideale oplossing voor problemen met vervuild water is een afvoer onder in het waterbekken. Bij kleinere bakken kan men volstaan met een kraan, waaronder een emmer ge-

houden kan worden.
Bij grotere bakken heeft
een afvoer alleen zin, als
deze verbonden kan wor-
den met een afvoerleiding
naar de riolering of iets
dergelijks.

DE ZORG VOOR DE WATERKWALITEIT

De biomassa van twee
middelgrote schildpadden
is vergelijkbaar met meer
dan duizend guppen. Het
is duidelijk dat een aquarium van 80 tot 100 liter
met een dergelijke hoe-
veelheid vissen zwaar

overbezet zou zijn. De
schildpadden veroorzaken
dan ook een zodanige wa-
terverontreiniging, dat het
schoonhouden hiervan het
grootste deel van de ver-
zorging opeist.
Er zijn verschillende ma-
nieren om dit aan te pak-
ken. Bij kleine bakken is
het voldoende om één à
twee keer per week al het
water met een slang over te
hevelen, om dit vervolgens
te vervangen met schoon
water van dezelfde tempe-
ratuur. Bij grotere bakken
is deze methode echter niet
praktisch. Voor de aquari-

umliefhebber worden zeer
veel verschillende filtersystemen in de handel aange-
boden. Goede raad is hier
echter duur, want lang niet
alle systemen zijn geschikt
voor schildpaddenbakken.
De langzame, biologische
filters, die algemeen voor
aquaria gebruikt worden,
zijn niet in staat het grote
afvalaanbod te verwerken.
Alleen snelle filtersystemen, die makkelijk te rei-
nigen zijn, komen in aan-
merking. Gesloten
filtersystemen die buiten
de bak geplaatst zijn en
een geringe dwarsdoorsne-

Als de oever van de tuinvijver te steil is, zullen de schildpadden een handje geholpen moeten worden.

de hebben, zijn meestel te snel verstopt.

Bij grotere onderkomens kan men er voor kiezen om een open filter op gelijke hoogte naast de bak te gebruiken. Een nadeel is wel, dat dit veel ruimte in beslag neemt. Daarbij moet het filtermateriaal regelmatig schoongespoeld worden.

Ook al blijft het water helder bij filtering, toch zal er regelmatig een emmer ververst moeten worden, omdat het water anders overbelast raakt met afvalstoffen.

In waterbekkens zonder filtering is het beter om het water in beroering te houden met een aquarium-luchtpomp. Dit voorkomt dat er een schimmelhuidje op het wateroppervlak komt, dat ooginfecties bij de schildpadden kan veroorzaken. Bovendien worden de afvalstoffen door de pomp bijeengedreven in de hoeken, waar ze makkelijk met een slang weggeheveld kunnen worden.

VERWARMING

Ook wanneer een schildpaddenverblijf in een goed verwarmde kamer staat, zal de watertemperatuur te laag zijn. Een constante watertemperatuur van 18 tot 20 °C is voor de dieren

op den duur niet gezond, ook al kunnen ze veel lagere temperaturen kortstondig goed verdragen.

Men kan gebruikmaken van verwarmingen die voor aquaria aangeboden worden. Het best voldoen hiervoor de verwarmingen die geheel ondergedompeld dienen te worden. Grotere schildpadden kunnen de verwarming, die een glazen behuizing heeft, beschadigen. Om de verwarming hiervoor te beschermen, kan deze het beste in een metalen of PVC-buis weggewerkt worden. De buis moet over de hele lengte bezet zijn met gaatjes. De beste watertemperatuur, waarbij sierschildpadden gehouden kunnen worden, is 24 tot 28 °C.

VERLICHTING

Licht is het levenselixer voor sierschildpadden. Welke invloed heeft het op het gedijen van de schildpadden? We weten dat de lichtintensiteit en ook de daglengte bij talrijke dier-

TIP: Het benodigde vermogen van de verwarming voor een bak in een huiskamer is rond de 5 tot 10 Watt per 10 liter water.

Voorvoet met lange, krachtige nagels.

Achtervoet met zwemvliezen tussen de tenen.

soorten effect hebben op activiteit, de groei, de voeding en de voortplanting. Waarom zou dit bij schildpadden anders zijn? Ze zijn afkomstig van zonnige oorden. Een sterk verlicht schildpaddenverblijf is dus gunstig. Ideaal is bijvoorbeeld een tuinserre. Als het verblijf in de woning opgesteld staat, moeten we voor goede kunstverlichting zorgen. Hiervoor kan men boven het verblijf één tot drie 3 tl-lampen monteren.

Warmtestraler

Boven het landgedeelte kan men een warmtestraler plaatsen. De dieren kunnen zichzelf dan opwarmen tot hun voorkeurstemperatuur. Hiervoor kan een gewone gloeilamp, voor een reflector gemonteerd, gebruikt worden. Ook een spotje is goed bruikbaar. Bij de plaatsing is het zaak, om slechts een gedeelte van het landgedeelte te laten beschijnen, zodat de dieren de optimale afstand kunnen innemen. De temperatuur op de warmste plaats moet ongeveer 28 tot 33 °C bedragen. De inzet van echte warmtelampen (bijvoorbeeld infrarood-lampen) is niet verstandig, omdat de dieren naast warmte ook de hogere lichtintensiteit opzoeken.

UV-bestraling

Natuurlijk zonlicht bevat niet alleen licht en warmte, maar ook ultra violet licht. Juist dit uv-licht is voor de gezondheid zeer belangrijk. Het is onder andere noodzakelijk om de, met het voedsel opgenomen, vitamine D te activeren. Dit is van belang is voor de opbouw van botten. Tekort aan uv-straling leidt vooral bij sterk groeiende dieren tot rachitis, wat zich bij

schildpadden manifesteert als verweking en vervorming van het pantser. De werking van de uv-stralen beperkt zich echter niet tot de activering van vitamine D, maar het heeft ook andere invloeden. Dieren die genoeg uv-licht krijgen, eten beter, zijn actiever en minder bevattelijk voor ziektes. Aangezien het licht van gewone gloeilampen en tl-lampen nauwelijks uv bevat, moeten we bij dieren die altijd binnenshuis gehouden worden, op een andere manier in de behoefte voorzien. Bij grotere, nog slechts langzaam groeiende dieren, die 's zomers buiten gehouden worden en volop geprofiteerd hebben van zonlicht en voor de winter binnen ondergebracht worden, kan men zonder een uv-lamp. Voor dieren die per-

Om dichter bij de zon te komen, is alles geoorloofd.

manent binnenshuis blijven, staat het buiten kijf dat regelmatige uv-bestraling een heilzame werking heeft, zeker voor dieren die jonger zijn dan 3 tot 4 jaar en nog sterk in de groei zijn.

Dit is op twee manieren te bereiken. Ten eerste kan men permanent bestralen met lampen in een vaste opstelling. Hiervoor zijn speciale tl-lampen verkrijgbaar, bijvoorbeeld Black-Light. Als warmtestraler voor het landgedeelte kan ook een zwakke HQI-lamp gebruikt worden (bijvoorbeeld de HQL 50 Deluxe van Osram), welke gedeeltelijk ook uv uitstralen. Het aandeel uv is echter gering en dit zal dus als enige oplossing niet volstaan. De tweede mogelijkheid om de dieren voldoende uv te geven, is het geven van een regelmatige, maar korte bestraling met speciale uv-stralers. Met de Osram Ultra Vitalux 300 W is veel goede ervaring opgedaan. Ikzelf heb ondervonden dat twee - tot driemaal per week, een half uur op anderhalve meter afstand bestralen afdoende is. Kenmerkend voor deze lampen is het grote aandeel van 'zwakke' uva-stralen (315-380 μm), die de gewenste werking geeft. Een groter aandeel

van 'harde' uvc-straling zou alleen maar schade kunnen toebrengen aan de dieren. Voor men overgaat tot de aanschaf van een grote en dure installatie, kan men zich het beste uitvoerig laten informeren bij een goede elektro-winkel.

'S ZOMERS IN DE ZON!

En dan is er ook nog zoiets als een balkon. Wie niet over een tuin beschikt, kan zijn schildpadden desondanks de zomerzon bieden. Met eenvoudige middelen kunt u een zomerkwartier inrichten op balkon, terras of daktuin. Het technische probleem van verwarmen en verlichten ontbreekt hier. Men kan een eenvoudig pasklaar, kunststof tuinvijvertje bij een tuincentrum halen, waarna men deze kan inbouwen met een houten constructie. Of men bouwt van hout een bak, die aan de binnenzijde bekleed wordt met het overal bij tuincentra verkrijgbare vijverfolie. Andere foliesoorten zijn niet geschikt, omdat ze te gemakkelijk scheuren of lek worden na verloop van tijd. Het landdeel kan er weer ingehangen worden. Met goed gewassen kalkzandstenen, of met een plantenbak is dit er natuurlijk ook naast te maken.

Let er in ieder geval op, dat de dieren goed uit het water kunnen klauteren. Omgeven door een plantenbak, kan het onderkomen er bijzonder aantrekkelijk uitzien.

In het voorjaar moet men de dieren pas naar buiten zetten, als het al flink warm is. Drie dingen moet men bij een dergelijk buitenverblijf goed in acht nemen:

► Het land- en watergedeelte moeten gedeeltelijk in de schaduw liggen. De dieren kunnen oververhit raken op hete dagen, als ze niet kunnen uitwijken.

► Schildpadden zijn goede klauteraars. Als ze met hun scherpe klauwen houvast krijgen, kunnen ze bijna loodrechte wanden beklimmen.

Bij de aanleg van onze minivijver moeten we er dus op letten, dat ze niet over de rand kunnen klimmen. Het beste werkt een rand die naar binnen overhelt.

► Wij zijn niet de enige 'schildpadden-liefhebbers'. Kleine schildpadden buiten moeten goed afgeschermd zijn, zonodig met gaas, tegen katten, eksters en soortgelijk 'gespuis'.

Roodwangen, gezellig aan het zonnen.

IN DE TUIN

De schildpadden van tuin-
bezitters kunnen goed uit
zijn, als zij ondergebracht
worden in een stukje tuin
met vijver, waar hun na-
tuurlijke leefomgeving be-
naderd kan worden. Voor
een dergelijk buitenverblijf
moet een geschikte plaats
uitgezocht worden. Deze
moet zó liggen, dat de zon
er de hele dag op schijnt.
Het is ook gunstig om enige windbeschutting aan te
brengen aan de kant waar
de meeste wind vandaan
komt. Tot slot moet er ge-
zorgd worden voor een
paar beschaduwde plekjes.

De vijver
In de meeste gevallen kan
men goed een vijver met

behulp van folie aanleggen.
Deze heeft het voordeel dat
met, verhoudingsgewijs geringe kosten, een flinke vijver gemaakt kan worden.
Ook is het goed mogelijk
afwisseling in diepte aan te
brengen, met beplanting in
en rond het water. Hoe groter en dieper de vijver, des
te geringer de tempera-
tuurschommelingen van
het water.
Zo'n ruime vijver heeft
weer het nadeel dat hij te
groot is om te overzien, zodat de controle over de
dieren gering is. De dieren
worden ook schuw en het
is lastig om ze te vangen in
een grote vijver. Het is belangrijk de oevers van de
vijver zo flauw te maken,
dat de schildpadden overal
het land op kunnen.

Als het de bedoeling is dat
de schildpadden in de vijver overwinteren, dan
moet de diepte op een be-
paalde plek minstens 100
tot 120 cm zijn. Het geheel
moet natuurlijk door een
hek omgeven zijn, zodat
de dieren niet kunnen
weglopen. Deze scheiding
moet ongeveer 40 tot 50
cm hoog zijn en ongeveer
20 cm in de grond gegra-
ven zijn. De bovenkant
kan het beste een rand

TIP: Voor grote verblij-
ven is het ook mogelijk een
laag broeikasje te plaatsen.
Deze zijn als bouwpakket
in een tuincentrum te krijgen. Zo'n glazen huisje kan
men naast de vijver opstel-
len. In het kasje legt men
een waterbakje aan, zodat
de schildpadden via een
soort landbrug van de vijver naar het bakje kunnen
lopen. Het kasje kan ook
boven een zijarm van de
vijver opgesteld worden,
zodat de dieren naar bin-
nen kunnen zwemmen. Als
u dit te kostbaar vindt, dan
is een soortgelijk, fraai effect te bereiken met wat
planken en een oud raam.
De dieren zullen de weg
naar uw constructie zeer
snel weten te vinden, als
het daar aangenamer is dan
in de open lucht.

hebben, die naar de bin-
nenzijde overhelt, om ont-
snapping te verhinderen.
Voor het maken van een af-
scheiding heeft u de keuze
uit veel verschillend materiaal, bijvoorbeeld geïm-
pregneerd hout, betonpla-
ten, etc. Gaas houdt zich
vaak niet goed na verloop
van tijd; vooral ter hoogte
van de grond roest het
nogal eens door. Boven-
dien kunnen de dieren hier
goed tegenop klauteren.
Als er gekweekt moet wor-
den, is een heuveltje op het
landdeel nodig met een
spaarzaam begroeide zand-
helling op de zuidhelling,
waar de eieren gelegd kun-

nen worden.
Voor een kleiner verblijf is
het aan te bevelen om deze
uit te voeren in beton of
metselwerk. Ideaal in zo'n
geval is een naar het zuiden gerichte, hellende constructie, waar op eenvoudige wijze een waterafvoer in
aangebracht is. Een dergelijk verblijf van bijvoorbeeld 4 tot 6 m^2 kan als het
te koud is aan het begin of
het eind van het seizoen,
gedeeltelijk met glas of
doorzichtig plastic afge-
dekt worden. Bij een zwak
zonnetje stijgt de temperatuur hieronder al snel.

De juiste voeding

Veelzijdige verzorging

Een uitgebalanceerde voeding is de beste voorzorg voor gezondheid, vitaliteit en een lang leven van sierschildpadden.

In het hoofdstuk over het leven van de schildpadden in hun land van oorsprong is al gezegd, dat ze een breed scala van dierlijk en plantaardig voedsel gebruiken. Het aanbod in de vrije natuur zal afhangen van het watertype en de tijd in het jaar. Veelzijdigheid en afwisseling is ook bij de verzorging het motto.

KANT-EN-KLAAR VOEDSEL

In dierenwinkels wordt kant-en-klaar voedsel in de vorm van staafjes of korrels aangeboden. Deze is voor de wat grotere schildpadden goed bruikbaar als bijvoer of 'tussendoortje', maar in geen geval als zelfstandige voeding voor langere tijd. Dergelijk voedsel bevat te weinig mineralen en als het langere tijd bewaard wordt, is het vitami-

negehalte niet meer toereikend.
Zeer waardevol als aanvul-
lende voeding, vooral voor
jonge dieren, zijn de ge-
droogde vlokreeftjes die in
veel dierenwinkels te koop
zijn. In levende toestand
vormen zij een belangrijk
bestanddeel op het menu
van waterschildpadden in
het wild.

DIEPVRIESVOEDSEL

De dierenspeciaalzaken
hebben een omvangrijk as-
sortiment van diepvries-
voedsel, wat in veel gevallen goed bruikbaar is voor
schildpadden. Bevroren

watervlooien, verscheidene
garnalensoorten en mug-
genlarven worden door
kleine schildpadjes graag
gegeten. Voor grotere dieren zijn vis, inktvis en
mosselen goede voeding.
Voor het voeren ontdooien
en goed afspoelen!

VIS

Kleine vissen kunnen in
hun geheel aan grotere
schildpadden gegeven wor-
den, grote kunnen beter tot
hapklare brokjes versneden
worden en met een pincet
aan de dieren gevoerd worden. Grote stukken vis
worden namelijk door de

schildpadden met hun
klauwen uit elkaar getrokken, waardoor het water
sterk vervuild raakt.
Kleine visjes kan men vaak
zoveel van viskwekerijen
en hengelaars krijgen, dat
een diepvriesvoorraad is
aan te leggen. In het voorjaar worden er veel spieringen aangeboden. Dit is een
zeer geschikte voedselvis,
omdat het een weke vis is,
die goed te verwerken is.

LEVEND VOER

Het beste kan men de
schildpadden zoveel moge-
lijk levend voedsel uit de
natuur verschaffen. Water-

vlooien zijn in de zomer tot ver in de herfst in allerlei vijvers en sloten te vinden. Om deze voedselbronnen regelmatig te benutten, is het handig om altijd een fijnmazig netje en een emmer met deksel in de kofferruimte mee te nemen. Ervaren aquariumliefhebbers weten vaak de goede plekjes aan te wijzen. In veel greppels en plasjes zijn muggenlarven te vinden, die uitstekend voer zijn voor zeer jonge schildpadjes. Grote schildpadden kunnen echter ook uren zoet zijn met het zoeken naar muggenlarven en vlokreeftjes.

Kwalitatief goed en gemakkelijk aan te komen zijn verder regenwormen, die men sorteert op grootte voor de schildpadden, of in stukjes gesneden voert met een pincet.

TIP: Wanneer u in een teil met water wat grasmaaisel laat verteren, dan worden hier door muggen graag eieren afgezet. De grotere larven en poppen kunt u vervolgens oogsten en aan de schildpadden voeren. Dit moet wel regelmatig gebeuren, om geen overlast van volwassen steekmuggen te krijgen.

LEVEND VOER KWEKEN

Tuinbezitters hebben niet alleen het voordeel dat ze hun schildpadden 's zomers in betrekkelijke vrijheid kunnen laten rondlopen, ze kunnen ook goed voedsel zelf produceren. Hiertoe stelt men op een half beschaduwde plaats meerdere kuipen met water op, bijvoorbeeld badkuipen of metselkuipen. Om watervlooien te kweken, moet in het voorjaar hierin

TIP: Kleine tot middelgrootte waterslakken worden zeer graag gegeten. De schildpadden kraken de huisjes of trekken de slakken eruit. Wie een aquarium bezit, heeft meestal daar wel slakken in. Een lekkernij voor de schildpadden.

éénmaal een kleine portie van deze kleine kreeftachtigen uitgezet worden. Bij regelmatige voedering met organisch materiaal ontwikkelen zich algen en infusoriën (ééncelligen), die weer het voedsel vormen van watervlooien, waardoor deze zich rijkelijk kunnen vermeerderen. Er moet regelmatig, maar met mate bijgevoerd worden. Hiervoor kan gras gebruikt worden, maar nog beter is een handje kippenmest of compost. Een wekelijks scheutje melk geeft ook goede resultaten.

ZELF VOER SAMENSTELLEN

Voor schildpaddenhouders met een grotere voedselbehoefte loont het de moeite, om zelf kant-en-klaar voer samen te stellen. Deze gelatinepudding, ook wel

BASISRECEPT

éénderde vis
éénderde garnalen
éénderde plantaardige bestanddelen
voor 2 liter voer:
100-120 g gelatinepoeder
2 afgestreken eetlepels poeder met mineralen en vitaminen, bijvoorbeeld Vitakalk
15-20 druppels van een vitaminepreparaat

LEVEND VOER VOOR SIERSCHILDPADDEN

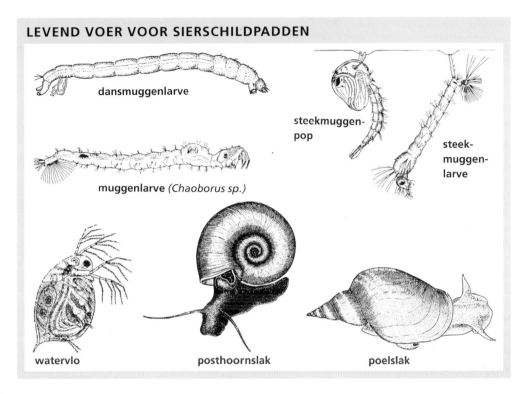

dansmuggenlarve

steekmuggen-pop

steek-muggen-larve

muggenlarve (Chaoborus sp.)

watervlo

posthoornslak

poelslak

'schildpaddenpudding' genoemd, wordt als sinds jaren door veel ervaren schildpaddenliefhebbers gebruikt. Wie het eerste op het idee kwam, is al lang niet meer te achterhalen, en onderhand heeft iedereen zijn eigen recept ontwikkeld.

Het samenstellen kost een flink uur werk in de keuken, maar het loont om een voorraadje aan te leggen, die voor een langere periode bruikbaar is. Voor het maken moet men vaak een beetje kunnen improviseren. Kleine witvissen zijn te krijgen van viskwekerijen, hengelaars, of op de markt. Bijzonder week en goed te verwerken zijn spieringen. Gepelde garnalen zijn ook op de markt of bij een vishandel te koop. Magere zeevisfilet is ook goed bruikbaar, evenals vismeel en visafval. Voor plantaardige bestanddelen komen bijvoorbeeld in aanmerking: havervlokken, gemalen worteltjes, sla, spinazie, of brandnetels.

Aan het geheel kan men nog een ei en wat melk toevoegen, zodat het beter te verwerken is.

De vis, garnalen en plant aardige kost worden vervolgens tot een stevige, goed vermengde brij vermalen met behulp van een keukenmachine of mixer. Het gelatinepoeder wordt met wat water vermengd, en wordt één tot twee uur weggezet om het te laten zwellen. Daarna wordt dit opgelost met een beetje water van 70 tot 80 °C (niet heter!). Dan wordt de voedselbrij door en door vermengd met de gelatine-oplossing. Het geheel laten we nu afkoelen, totdat het lauwwarm is. Pas dan wordt de Vitakalk toegevoegd. Tot slot worden er een vijftien- tot twintigtal druppels van een vitamine-preparaat bijgedaan, dat bij de drogist verkrijgbaar is. Alles moet goed geroerd worden.

Het stroperige mengsel wordt dan in een vier tot vijf cm dikke laag in een grote schaal gedaan, waarna deze een nacht bij kamertemperatuur blijft staan. De volgende dag wordt de schaal een paar uren in de koelkast weggezet. Men heeft dan een goed snijbare massa, die men in weekporties kan invriezen. Als de schildpadden gevoerd moeten worden, snijdt u een portie in hapklare brokken. Geef nooit meer dan in enkele minuten opgegeten kan worden. De mengverhoudingen kunt u eerst met kleinere hoeveelheden uitproberen. De pudding moet goed te snijden zijn en in het water niet direct uiteenvallen.

Van het recept kan men natuurlijk naar eigen inzicht afwijken, zo kan het plantaardig aandeel van de pudding vergroot worden,

als deze bedoeld is voor grote Hiërogliefen- en Florida-sierschildpadden.

VERS GROENVOER

Alle sierschildpadden, van elke leeftijd, hebben geregeld vers groenvoer nodig. Slabladeren, chichorei, chinese kool, paardebloembladeren, weegbree, verse groene erwten en natuurlijk ook waterplanten worden geaccepteerd. Ideaal groenvoer is kroos, dat overal in sloten van het oppervlak te scheppen is. Ook hierbij loont het om een voorraad voor de winter in de diepvries aan te leggen.

En tot slot: gehakt is geen geschikt voedsel voor schildpadden! Het bevat te

veel vet, wat niet goed is voor de dieren. Maar ook gewoon vlees is door de eiwitsamenstelling niet geschikt en wordt bovendien zeer slecht verteerd. Het spijsverteringsstelsel van de schildpadden is nu eenmaal niet op zoogdierenvlees ingesteld. Balletjes van geschaafd vlees zijn wel geschikt om de dieren medicijnen of vitaminepreparaten toe te dienen.

HOE VAAK EN HOEVEEL?

Sierschildpadden leren zeer snel waar het eten vandaan komt - met het gevolg, dat er bij elke menselijke benadering zó heftig gesparteld wordt, dat ze

SCHEMA VOOR DE VOEDERFREQUENTIE

Zeer jonge dieren (tot ongeveer 6 maanden): dagelijks
Jonge dieren (1/2 tot ongeveer 2 jaar): 3 tot 4 maal per week
Oudere schildpadden: 2 maal per maand

bijna loodrecht in het water staan, de kop ver uitgestoken in de richting van de vermeende voedselbron. Wie denkt dat ze dan een enorme honger hebben en dus toegeeft aan deze bedelarij, doet zijn dieren geen goed. Vaak ziet men bij onervaren schildpadbezitters, dat de dieren volledig vetgemest zijn, omdat ze elke dag gevoerd worden tot ze niets meer op kunnen. Zulke dieren ontwikkelen vaak leverkwalen en gebrekziekten door een eenzijdige voeding.
De juiste dosering zal men zelf moeten uitvinden. Regelmatig de dieren wegen helpt hierbij.

TIP: Nooit meer voer geven, dan in ongeveer vijf minuten opgegeten kan worden. Alleen bijvoer zoals watervlooien, muggenlarven en groenvoer kunnen tussendoor gegeven worden.

Regenwormen zijn een geliefd voedsel.

Het wateroppervlak moet altijd schoon zijn, anders kunnen oogontstekingen ontstaan.

Verzorging en het voorkomen van ziekte

Zó blijven ze gezond

Juiste verzorging en op de soort toegesneden overwintering zijn voor het welzijn van onze schildpadden belangrijk. Daarom moeten we voortdurend bedacht zijn op de voortekenen van mogelijke ziekten, om snel te hulp te kunnen schieten.

OVERWINTERING

Uit het hoofdstuk over de levenswijze van de uit Noord-Amerika afkomstige sierschildpadden, weten we dat ze een kortere of langere winterslaap houden, in de bodem onder water. Hierop is het functioneren van een schildpad ingesteld. Daarom is het beter voor de ontwikkeling van de dieren om dit, zo mogelijk, thuis ook te laten gebeuren. Hierbij moet wel aangetekend worden, dat de noodzaak om te overwinteren per soort kan verschillen. De klimaatver-

Voorbeeldig schoon water.

schillende mogelijkheden
tot het laten overwinteren
van de schildpadden, zul-
len in het kort de revue
passeren.

1. VRIJ IN DE TUIN:

Alleen in grote schildpad-
denverblijven met een wa-
terdiepte van minstens 1
meter en met volgroeide,
of bijna volgroeide dieren
van de noordelijke soor-
ten, zoals de Sierschildpad
Chrysemys picta (met uit-
zondering van de Zuidelijke Sierschildpad *Chr. p.
dorsalis*) en de Roodwang
Chr. scripta elegans, is overwintering mogelijk. Met
wat meer risico is dit ook
mogelijk met Hiërogliefen-
sier-
schild-

schillen tussen de diverse
herkomstgebieden van de
soorten zijn aanzienlijk.
Dit heeft grote gevolgen
voor bijvoorbeeld de lengte van de periode dat een
soort actief is en hoe lang
de winterrust duurt. Als de
in Florida levende soorten
al lang in de paartijd zijn,
ligt er nog een dikke laag
ijs op de wateren in het
noordelijk gedeelte van het
verspreidingsgebied van de
Siersschildpad *Chrysemys
picta*. Van soorten met een
zeer grote verspreiding,
zijn er binnen dat gebied
aanzienlijke verschillen in
klimaat.

Bij de beslissing waar en

hoe men de dieren laat
overwinteren, is dus van
belang welke soort of on-
dersoort het betreft. Ook
de leeftijd is belangrijk en
natuurlijk de moge-
lijkheden thuis, zo-
als de ruimte die
ons ter be-
schikking
staat.
De
ver-

Het gewicht dient regelmatig gecontroleerd te worden.

padden en de beide, hier behandelde Landkaart-sierschildpadden. Een kritische tijd voor de vrij in de tuin overwinterende schildpadden is in het voorjaar. In deze tijd kan het voorkomen dat de schildpadden weer actief zijn geworden door een paar zonnige dagen, waarna het weer kouder wordt. Men kan de beesten dan beter naar binnen brengen.

2. WINTERSLAAP IN EEN ONVERWARMDE RUIMTE:

Er kan ook een bak opgesteld worden in een ruimte, waar het beneden de 10 °C wordt, maar waar het zelden vriest. De waterstand in zo'n bak zal dan even hoog moeten zijn als de pantserlengte van de grootste schildpad. Verder moet er een landgedeelte in aangebracht worden, dat makkelijk te beklimmen is. Verlichting is niet aan te raden, wel regelmatige controle!

3. IN DE HUISKAMER:

Met inachtneming van een rustperiode van 4 tot 8 weken, waarin niet gevoerd wordt en de verlichting en verwarming gedimd zijn. Dit is voor de zuidelijke soorten als de Roodbuik- en Florida-sierschildpadden de aangewezen manier, evenals voor jonge schildpadden in hun eerste twee winters.

Als het niet mogelijk is de dieren volgens methode 1 of 2 te laten overwinteren, dan blijft voor alle dieren alleen methode 3 over. Een overwintering volgens methode 1 en 2 kan men overigens alleen met gezonde en goed doorvoede dieren doen.

De overgang naar en vanaf de winterrust mag niet te plotseling zijn. Een geleidelijke overgang van één tot twee weken is beter.

EN WAT GEBEURT ER IN DE VAKANTIE?

Ook de schildpaddenbezitter dient zich bijtijds te realiseren, wat er met zijn dieren gebeurt tijdens zijn vakantie. Met schildpadden blijkt dit niet al te ingewikkeld te zijn. Met een ruim tuinonderkomen is dit in de zomer hoegenaamd geen probleem. Vlak voor het vertrek wordt nog éénmaal normaal gevoerd. Voor kleine dieren is het raadzaam om nog een extra portie watervlooien in de vijver te doen, en dan zijn de dieren voor twee weken boven Jan. In het schildpaddenverblijf binnenshuis kunnen de dieren acht tot tien dagen zonder verzorging. Hier kan men het beste drie dagen voor het vertrek de dieren voor de laatste maal voeren en ervoor zorgen dat het water bij vertrek schoon is. Als het jaargetijde het toelaat, verdient het ook aanbeveling de verwarming laag te zetten en de verlichtingsduur met vier tot vijf uur dagelijks te bekorten. Ook dieren in het wild doorstaan moeiteloos periodes met koud, slecht weer. Nog mooier is het als we iemand hebben die niet alleen de planten water geeft, maar ook de verwarming en verlichting van de schildpadden in de gaten houdt. Als bij langere afwezigheid, of als de dieren nog zeer jong zijn, er tussendoor gevoerd moet worden, kan een voederautomaat de oplossing zijn. Deze, in de handel verkrijgbare apparaten, laten op gezette tijdstippen een hoeveelheid voer in de bak vallen. De geschiktheid van het gebruikte

TIP: Als er iemand regelmatig in de woning komt om de schildpadden te verzorgen, dan kunt u het beste het voer in afgemeten hoeveelheden klaarzetten, met op elke portie de datum dat het gegeven moet worden. Dit heeft het voordeel, dat uw vervanger niet naar eigen inzicht de hoeveelheden bepaalt, want meestal geeft de onervaren verzorger te veel voedsel. Zo bespaart u zichzelf een thuiskomst, waarbij u de schildpadden ziet ronddobberen in een zwaar vervuilde bak. De hoeveelheid voer die gegeven wordt in deze periode kan het beste om dezelfde reden sterk teruggebracht worden.

droogvoer en de betrouwbaarheid van de automaat moeten wel vóór de vakantie getest te worden.

GEZOND OF ZIEK?

De beste maatregel tegen ziekten is preventie. Is een dier toch ziek, dan komt het erop aan dat dit vroeg-

tijdig gemerkt wordt. Daarom is het belangrijk de dieren regelmatig te bekijken, zodat eventueel afwijkend gedrag snel opgemerkt wordt. Wanneer een dier zich vreemd gedraagt, kunt u hem het beste isoleren. Bepaalde kenmerken zijn belangrijk om op te letten, al bij de aankoop van het dier.

Schildpadden, die in de winkel te koop zijn, hebben vaak al een lang transport achter de rug, met grote temperatuurschommelin-

gen en meer of minder regelmatige voedering. Dit levert grote stress op voor de dieren en het treft de kleinsten het hardste. Daarom is het beter om wat grotere dieren te kopen, als men de keuze heeft. De ervaring leert, dat halfwas schildpadden de belasting van het transport het beste kunnen doorstaan.

GEZONDHEIDS-CONTROLE

► Als volgende stap kijkt

Zulke kleine diertjes hebben bijzondere zorg nodig.

Gezonde sierschildpadden zijn actieve zwemmers.

men naar de dieren in hun verblijf. Gezonde dieren gedragen zich levendig. Let ook op de manier waarop ze zich op land en in het water bewegen. Dieren die scheef zwemmen, of die met moeite onderduiken, kunnen beter niet genomen worden; ze kunnen een longziekte hebben.

▶ Let erop dat het pantser stevig is als ze in de hand genomen worden. Bij jonge dieren is het achterste gedeelte nog elastisch.

▶ Oppervlakkige beschadigingen van het pantser, die bij grotere dieren nogal eens voorkomen, zijn niet van belang. Bij scheuren, waarvan u niet kunt zien hoe diep ze gaan, en bij loszittende of weke hoornplaten is voorzichtigheid geboden. Dit wordt niet vervangen bij normale vervellingen, waarbij alleen de bovenste, dunne hoornlaag afgestoten wordt.

▶ De ogen horen helder en glanzend te zijn. Kleverige of gezwollen ogen kunnen op een ernstige ziekte duiden.

▶ Als er bij de neusgaten belletjes te zien zijn bij het uitademen, dan is het dier verkouden. Bij een zware verkoudheid is de ademhaling zelfs hoorbaar.

▶ Het ideale gewicht, afhankelijk van soort en leeftijd, laat zich moeilijk bepalen. Dieren die desondanks erg licht in de hand voelen, kan men beter niet kopen. Let ook op de kracht van de poten, als de dieren zich uit uw hand proberen te bevrijden. De pas verworven schildpad wordt in een droge doos naar huis vervoerd. Daar kunt u het beter niet direct bij de andere dieren plaatsen. In een aparte bak wordt na enkele dagen duidelijk of de schildpad al of niet ziek is.

Ook bij schildpadden die al lang onder hoede van mensen zijn, kunnen natuurlijk ziekten optreden. In de meeste gevallen zal dit het gevolg zijn van fouten in de verzorging. Daarom is het zaak de oorzaak bij ziekte eerst in deze richting te zoeken. Klopt de temperatuur, licht, voeding, etc.?

Ziekten aan de luchtwegen

Echt algemeen zijn ziekten aan de ademhalingswegen. Ongeveer 30% van de doodsoorzaken bij waterschildpadden zijn het resultaat van deze aandoeningen. Een simpele verkoudheid kan snel een serieuze aangelegenheid worden, omdat dit gemakkelijk kan leiden tot een longontsteking.

Verkoudheden treden op wanneer het lichaam, na op warmte te zijn ingesteld, plotseling wordt getroffen door de koude, bijvoorbeeld bij tocht. Schildpadden zijn zeer vatbaar voor verkoudheid, vooral als het water warmer is dan de lucht erboven. Ze zwemmen dan in warm water en ademen koude lucht in.

In de tuin kan het wisselvallige weer in het voorjaar makkelijk verkoudheden

veroorzaken. Dieren die in huis overwinterd hebben, kunnen beter niet al te snel naar buiten gebracht worden. Bij lichte verkoudheden is het vaak afdoende om de temperatuur te verhogen tot 28 of 30 °C, om de dieren te laten herstellen. U moet er wel goed op letten dat de luchttemperatuur hoger is dan die van het water.

Als de verkoudheid na vier of vijf dagen niet duidelijk is afgenomen, moet de dierenarts geraadpleegd worden. Alleen hij kan in zo'n geval een eventuele longontsteking tegengaan, bijvoorbeeld met antibiotica.

TIP: Een stoombad met kamilledamp kan wonderen doen bij verkoudheid. Hiervoor doet u hete kamillethee of Kamillosan in een emmer. Hierboven wordt een keukenzeef gehangen met daarin de schildpad. Het geheel wordt afgedekt met een handdoek. Met de hand, of beter nog, met een thermometer bij de schildpad wordt dan gecontroleerd of de temperatuur niet te hoog is.

Een middel als Baytril, dat alleen op recept verkrijgbaar is, heeft zeer goede diensten bewezen bij schildpadden.

Spijsverteringsziekten

Deze worden zelden aangetroffen bij schildpadden. Als het dier gegeten heeft en de temperatuur is daarna te laag om het eten te kunnen verteren, is er kans op stoornissen.

Wormen

Schildpadden kunnen last van wormen hebben, maar dit heeft weinig invloed op hun gezondheid. Dieren in het wild dragen vaak parasieten bij zich, maar worden hier niet direct ziek van. Wel verslechtert hierdoor hun algemene conditie, wat hun weerstand verlaagt.

De dierenarts beschikt over goede medicijnen, als men hele wormen ontdekt in de ontlasting (rondwormen), of stukjes worm (lintworm). Bij goed etende, maar in gewicht afnemende dieren kan men een monster van de ontlasting op wormen laten onderzoeken.

Salmonella

Bacteriën van dit geslacht worden bij schildpadden vaak aangetroffen. De dieren worden er niet ziek van, tenzij ze verzwakt zijn door andere oorzaken. De ontlasting kan echter nog lange tijd na een infectie bacteriën bevatten. Mensen kunnen voedselvergif-

tiging door *Salmonella* op-
lopen. Het is daarom niet
zonder risico als men niet
hygiënisch bij de verzor-
ging van schildpadden is,
omdat levensmiddelen be-
smet kunnen raken.

Aandoeningen van de huid en het pantser

TIP: Na omgang met de
dieren, moet u niet vergeten
de handen te wassen. Het af-
valwater dat ontstaat na het
schoonmaken van een
schildpaddenverblijf, hoort
niet in de keuken of badka-
mer thuis, net zomin als
spullen die in dit onderkomen gebruikt worden. ◼

De ogen moeten helder en schoon zijn.

Oppervlakkige wonden
helen meestal goed, als het
water schoon is. Om dit
proces te bevorderen, kan
men de schildpadden pak-
ken, om ze dan te laten
drogen, waarna de wond
met een zalf behandeld
kan worden. Voor de die-
ren teruggezet worden,
worden de wonden afge-
dekt met levertraanzalf. Bij
diepere wonden moet de
dierenarts er aan te pas komen, om te voorkomen dat
het diepere weefsel geïn-
fecteerd raakt.
Bij jonge dieren komt het
nogal eens voor, dat er een
witte aanslag te zien is op
de poten en bij de nagels.

De oorzaak is onduidelijk.
Misschien speelt een ge-
brek aan bepaalde stoffen
hier een rol, of bevat het
water ziektekiemen. Dergelijke verschijnselen moeten
altijd behandeld worden,
waarbij men een licht ont-
smettend middel aan het
water toevoegt. Hiervoor
kan het beste gebruik worden gemaakt van middelen
die in aquariumwinkels
worden verkocht tegen
huidschimmel bij vissen, of
van middelen die schim-
melvorming op viskuit te-
gengaan. Bij voorkeur
neemt u middelen die
acridinekleurstof bevatten;
hiervan moet net zoveel in
het water gedaan worden,
dat dit een geelachtig waas

krijgt. Een lichte bestraling
met een uv-lamp, of de
blootstelling aan direct
zonlicht, is zeer bevorder-
lijk voor het helingspro-
ces. Ook de voeding, in
het bijzonder het minera-
len- en vitaminegehalte,
kunt u het beste nog eens
kritisch bekijken en zonodig aanpassen.
Verweking van het pantser
is het gevolg van verkeerde
voeding en een gebrek aan
uv-licht. Bij jonge dieren
tot ongeveer één jaar is het
achterste deel van het
pantser enigszins elastisch.
Bij voorzichtige druk vanaf
de zijkanten, of vanaf de
boven- en onderzijde, mag
het echter niet meegeven.
Bij grotere dieren moet het

pantser overal stevig en onbeweeglijk zijn. Behandeling bestaat uit een verbeterde mineralen- en vitaminegift en bestraling met uv (zon)-licht.

Ook als er geen vitamine D gebrek optreedt, kunnen botziekten ontstaan. Kalk- en fosforgebrek kan hier de oorzaak van zijn. Er treedt osteodystrofie op. De dieren krijgen een uitgesproken hoekig pantser, in plaats van het vlakke pantser dat waterschildpadden horen te hebben. Vaak gebeurt dit als de schildpadden zeer veel eiwitten, maar te weinig mineralen met hun voer binnenkrijgen. De dieren groeien dan heel snel, maar de opbouw van het botweefsel blijft hierbij achter. De behande-

ling is hetzelfde als bij botverweking. Vervormingen aan het pantser kunnen nauwelijks ongedaan gemaakt worden, maar na de juiste verzorging wordt het pantser wel weer stevig en is de vervorming een schoonheidsfout geworden. Door infecties bij kleine verwondingen, kan het tot onsteking van het botweefsel onder de hoornschilden komen. Hier helpt alleen het - door een dierenarts uit te voeren - verwijderen van het geïnfecteerde of dode weefsel. Hierna zal een antibioticakuur noodzakelijk zijn, waarbij de schildpad een tijd op het droge gehouden moet worden. Alleen voor het voeren mag de schildpad het (schone) water in.

Oogontsteking

Dit probleem komt bij schildpadden vaak voor. Er kunnen verschillende oorzaken voor zijn. Vervuild water en vitamine A gebrek spelen een belangrijke rol. Bij de behandeling wordt dan ook gebruik gemaakt van antibiotische zalf en vitamine A preparaat.

De ogen zijn echter ook vaak een weerspiegeling van een eventuele algemene slechte gezondheidstoestand, waar een dierenarts aan te pas moet komen.

Het buik- en rugpantser horen niet beschadigd te zijn.

Jonge Roodwangschildpad.

De kweek

Nageslacht bij onze sierschildpadden

Ons klimaat is niet warm genoeg voor de sierschildpadden om zich op normale wijze voort te planten. Wie toch wil kweken met deze schildpadden, zal dus de juiste condities moeten scheppen.

Over paargedrag en het eileggen in de natuur is al eerder in dit boek geschreven (zie p. 17). Als men een groep grotere schildpadden heeft, kan het soms tot het leggen van eieren komen. Als beide geslachten aanwezig zijn, is het natuurlijk leuk om te proberen uw schildpaddenbestand enigszins uit te breiden. Dit heeft echter alleen zin, als de wijfjes de eieren op een geschikte plaats kunnen ingraven. Eieren die in het water afgezet worden, of verspreid over het landdeel, zijn meestal dood of onbevrucht.

VOORBEREIDINGEN

Als men serieus wil gaan kweken, is het zaak om een beperkt aantal geslachtsrijpe dieren van één soort bij elkaar te zetten. In een overbezet verblijf met verschillende soorten door elkaar ontstaan problemen bij de paring. De mannetjes herkennen de vrouwtjes aan de geur en als er over het hele watergedeelte één gemengde 'wolk van geuren' hangt, zijn zij niet langer in staat zich te oriënteren.

Een geslachtsrijp Roodwangwijfje...

Bovendien wordt de balts voortdurend gestoord door toevallige passanten. Het beste is om binnenshuis één paar te houden, of in het ruime verblijf in de tuin twee mannetjes en drie vrouwtjes.

De tweede voorwaarde voor een succesvolle kweek betreft de plek, waar het eileggen moet plaatsvinden. In de tuin is dit geen probleem; een heuveltje met een zandhelling op het zuiden, dat wat hoger ligt dan de oever, wordt meestal vlot geaccepteerd.

Een koude overwintering heeft een positief effect op de voortplanting, namelijk via de rijping van de ei- en zaadcellen. Door het jaarritme van licht en warmte worden de dieren gelijktijdig seksueel actief.

TIP: In het onderkomen binnenshuis moet voor de eiafzetting een niet te kleine schaal met geschikte bodemvulling aangebracht worden, waar de dieren gemakkelijk in kunnen klimmen. De diepte zal overeenkomstig met de pantserlengte van het vrouwtje moeten zijn.

UITBROEDEN

Als het graven van een nestkuil niet toevallig wordt gezien, wordt makkelijk over het hoofd gezien dat een vrouwtje eieren heeft gelegd. Aan het gedrag is echter te zien dat het wijfje eieren af gaat zetten, doordat ze één of twee dagen van tevoren onrustig heen en weer loopt, duidelijk op zoek naar een geschikte plaats voor de nestkuil.

De kuil wordt door de dieren zeer zorgvuldig gesloten en met het buikpantser gladgestreken. 'Verdachte' plekken kunnen met behulp van een lepel voorzichtig onderzocht worden.

De temperaturen op een diepte van 10 tot 15 cm onder de grond zijn, zelfs bij zonnig weer, te laag in ons land, om zeker te zijn van een goede ontwikkeling van de eieren. Daarom is het altijd aan te bevelen, om de eieren op te graven en ze kunstmatig uit te broeden.

Voor het bebroeden van de eieren zijn er diverse methoden. De temperatuur

TIP: Als men de eieren uit het nest haalt, zal de bovenkant gemarkeerd moeten worden, bijvoorbeeld met een viltstift. Reptieleneieren mogen namelijk niet meer gedraaid worden als de ontwikkeling van de kiem op gang gekomen is, anders sterft deze af.

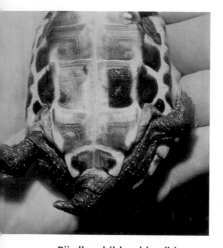

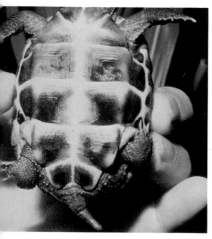

Bij alle schildpadden (hier een Chinese driekielschildpad) is het verschil tussen de geslachten aan de staart te zien: mannetjes (boven) hebben een dikkere, en vrouwtjes (onder) hebben een dunnere staart.

moet ergens tussen de 25 en 30 °C zijn, maar gemiddeld 28 °C. Korte variaties van twee tot drie graden zijn niet schadelijk.

De eieren worden, van elkaar gescheiden, in een matig vochtig substraat gelegd. Het beste kunnen hiervoor plastic potjes gebruikt worden met deksel, waarin een aantal gaatjes zijn aangebracht. Als substraat kan bijvoorbeeld Vermiculit, een zand-turf mengsel of turfmolm gebruikt worden. Het substraat mag niet te nat zijn, maar moet altijd een beetje vochtig zijn. Voor de rokers onder u: de turfmolm moet zo'n beetje aanvoelen als verse pijptabak.

Als broedinrichting kan een broedstoof gebruikt worden, maar het kan ook eenvoudiger. Een winkel

waar benodigdheden voor het kweken van vogels (bijvoorbeeld kippen) verkocht worden, heeft vaak klokvormige, kunststof stolpen met verwarming en thermostaat, die voor ons doeleinde geschikt zijn. Men kan ook een heel klein aquarium nemen en daarin een klein laagje water doen, dat opgewarmd wordt door een aquarium-

TIP: Het kan nóg eenvoudiger: ik heb vaak de bakjes met de, in de turf gelegde eieren in de lichtbak van mijn aquarium opgesteld. De temperatuur bedraagt hier 28 tot 30 °C overdag als de tl-lampen branden, en 23 tot 25 °C in de nacht. Hierdoor zijn de omstandigheden voor het uitkomen van de eieren altijd gunstig. ◀

...de nagels van de voorpoten zijn bij mannetjes veel langer.

Om eieren te leggen graaft het wijfje een kuil.

verwarming. De eieren worden op een platte steen net boven de waterspiegel gelegd. De afdekking van het aquarium moet dan wel zodanig zijn, dat er geen condenswater op de eieren drupt.

UITKOMEN

Bij de aangegeven temperaturen zullen de babyschildpadjes na ongeveer 60 tot 70 dagen uit hun ei komen. Een interessant gegeven hierbij is, dat het geslacht van de jongen te beïnvloeden is met de broedtemperatuur. Bij temperaturen van beneden de 25 °C worden meer mannetjes geboren, bij ca 30 °C zien we meer vrouwtjes. Het uitkomen van de eieren neemt ongeveer één tot twee dagen in beslag. Om de jonge schildpadjes hierbij iets te helpen, kan men de vochtigheid iets vergroten. In ieder geval moet u niet proberen de jongen te helpen uit het ei te komen, want daarmee wordt alleen maar schade aangericht. Een gezonde, volledig ontwikkelde babyschildpad redt het alleen.

De net uitgekomen jongen hebben vaak nog een soort gele knop aan de onderzijde van het buikpantser. Dit restant van de dooierzak bevat nog wat voedingsvoorraad voor enkele dagen. Er wordt pas gegeten als deze voorraad opgebruikt is. Tot die tijd kan men ze in hun broedbakje laten, of in een bakje met een klein laagje water zetten.

OPKWEKEN

Babyschildpadjes zijn, hetzij zelf gekweekt, hetzij aan-

geschaft, echte zorgkindjes.
Ze kunnen het beste in een
kleine bak ondergebracht
worden. Een aquarium van
60 cm lang, met een laagje

TIP: Zorg ervoor, dat het
eerste bakje van de kleine
schildpadjes eenvoudig
schoon te maken is. De
jongen zijn namelijk zeer
gevoelig voor vervuild water, waarin microorganis-
men zich sterk vermeer-
derd hebben.

WEEKSCHEMA VOOR 4 TOT 6 MAANDEN OUDE SCHILDPADJES

3 × per week gelatinevoeding van eigen samenstelling.

2 × per week kleine visstukjes, die met wat Vitakalk bepoederd worden en met een pincet gevoerd worden.

Ter aanvulling dagelijks levende, diepgevroren of gedroog-
de watervlooien, muggenlarven of vlokreeftjes; grootvlok-
kig siervisvoeder en fijngemalen groenvoer.

Voor grotere dieren ook regenwormen, slakken, mosselen
e.d., op een vaste dag in de week.

2 × per week 30 minuten bestraling met de Ultra-Vita-lux
lamp.

Variatie in het bovenstaande schema is altijd gunstig.

**Warmte en luchtvochtigheid zijn essentieel voor de ontwikke-
ling van de eieren.**

water van ca. 5 cm, is voor
vier tot zes jongen geschikt.
Als eiland kunnen we een
platte steen gebruiken, waar
de schildpadjes op kunnen
klauteren. In deze bak
wordt een gloeilamp gehangen, die ook de benodigde
warmte moet verschaffen.
De inrichting wordt com-
pleet gemaakt door een paar
los drijvende waterplanten,
die graag als dekking ge-
bruikt worden.
Als eerste voer zijn levende
watervlooien, vlokreeftjes
en muggenlarven het meest
geschikt, omdat hun bewe-
ging de schildpadjes stimu-
leert om toe te happen. De
dieren leren echter snel,
dood voer aan te nemen.
Jonge schildpadjes groeien
zeer snel in het eerste jaar.
In tegenstelling tot andere
gewervelde dieren, moeten
zij niet alleen een skelet op-

bouwen, maar ook het pantser. Hun productie van botweefsel is dus zeer groot. Een uitgebalanceerde voeding met mineralen in de juiste verhouding, voldoende vitaminen en uv-licht zijn absoluut noodzakelijk. In tegenstelling tot veel andere huisdieren, is er voor jonge schildpadjes geen exacte standaard mengvoeding voor te schrijven, waar alle voedingsstoffen in de juiste verhouding in zitten. De grondregel voor een goede voeding is namelijk, dat er zoveel mogelijk gevarieerd moet worden. De gelatinevoeding en het mineralenmengsel zullen de volledige vitaminebehoefte dekken. Geconcentreerde vitaminepreparaten zijn niet aan te raden, want overdosering van vitaminen kan ook schade aanrichten. Met name te veel vitamine D kan voor grote problemen zorgen. Het komt niet op grote hoeveelheden aan, maar op regelmaat bij de verzorging. Dieren, die voortdurend verzadigd worden met voedsel waar alle voedingsstofffen in zitten, groeien sneller dan schildpadden in het wild. Hier staat echter tegenover, dat door te snelle groei allerlei stoornissen in de ontwikkeling kunnen optreden, vooral in die van de botten en het pantser.

Een Druppelschildpad *(Clemys guttata)* komt uit het ei. Schildpadden hebben hier geen hulp voor nodig.

Bij de, net uit het ei gekropen, babyschildpadjes is het overblijfsel van de dooierzak herkenbaar. Hier wordt nog enige dagen voedsel aan onttrokken.

Als het dier nog maar net uit het ei is (links), heeft het pantser nog de vorm van de eischaal. Binnen 48 uur vlakt dit af (rechts).

Eéneiige tweelingen komen voor. Ze zitten altijd met de navels verbonden, omdat ze een dooierzak delen.

De verwante soorten

Andere water-
schildpadden

*In dit boek wordt sterk de nadruk ge-
legd op Noordamerikaanse sierschildpadden. In de handel zijn echter ook
andere soorten verkrijgbaar.*

De familie van de moeras-
schildpadden (Emydidae)
wordt niet alleen in
Noord-Amerika met talrij-
ke soorten vertegenwoor-
digd. Het tweede zwaarte-
punt in de verspreiding ligt
in Zuidoost-Azië. De ver-
zorging van deze soorten is
vergelijkbaar met die van
de Noordamerikaanse sier-
schildpadden. De tempera-
turen waarbij ze optimaal
functioneren en de manier
van overwintering kunnen
echter verschillen.

CHINESE
DRIEKIELSCHILDPAD

De meest algemeen ver-
krijgbare niet-sierschildpad
is de Chinese driekiel-
schildpad (*Chinemys revee-
sii*). Deze soort is lang niet
zo bont gekleurd als de sierschildpadden, maar daar
staat tegenover dat hij klein
blijft en makkelijk te verzorgen is.

Ambonese doosschildpad.

55

Chinese driekielschildpad.

Het hoofdverspreidingsgebied is het midden en zuiden van China. Daar zijn deze schildpadden in veel gebieden zo algemeen, dat ze met grote aantallen tegelijk in visnetten gevangen worden, waarna ze op de markt voor de consumptie verhandeld worden.

De vrouwtjes van de Driekielschildpadden worden ongeveer 12 tot 15 cm groot, de mannetjes slechts 10 tot 12 cm. De grondkleur is grijs, de platen van het rugpantser hebben lichte randen. De kop heeft een tekening met gele, rechte en gebogen strepen. Soms komen geheel zwarte exemplaren voor. Het pantser is matig gewelfd en heeft drie richels in de lengterichting, de 'kielen', waarvan de middelste het duidelijkst ontwikkeld is. Zwemvliezen zijn nauwelijks aanwezig, vandaar dat deze schildpadden weinig elegante zwemmers zijn. Ze verplaatsen zich haastig spartelend door het water en lopen veel over de bodem rond. De waterstand in hun verblijf kan daarom beter niet te hoog zijn, dat wil zeggen, niet veel hoger dan hun pantser lang is.

Het voedsel is overeenkomstig met dat van de sierschildpadden, alleen zuiver plantaardige kost wordt gemeden. De temperatuur dient ergens tussen de 22 en 26 °C te liggen. Een rustperiode van vier tot zes weken in de winter, bij lagere temperaturen en minder verlichting vergemakkelijkt de kweek, maar is niet altijd goed voor de conditie van de schildpadden. Wel is het goed voor hun conditie, als ze de maanden juni tot augustus buiten gehouden worden.

De Chinese driekielschildpad is verreweg de makkelijkst te kweken soort. De legsels bevatten meestal twee tot zes eieren.

PAUWOOG-WATERSCHILDPAD

Een andere, aantrekkelijke Aziatische soort is de Pauwoog-waterschildpad. Dit dier komt uit Zuid-China en het noorden van Indochina. Het meest opvallende kenmerk is de aanwezigheid van twee of vier oogvlekken op de achterkop. Hij wordt ongeveer 15 cm lang.

Pauwoog-waterschildpad.

Als bewoner van de tropen en de subtropen heeft deze schildpad het hele jaar door een temperatuur van 24 tot 28 °C nodig.

DOOSSCHILDPADDEN

Een zeer interessante groep zijn de doosschildpadden van het geslacht *Cuora*. Het buikpantser is bij deze dieren overdwars gedeeld. Het voor en achtergedeelte kunnen hier langs scharnieren, waardoor de openingen in het pantser bijna geheel afgesloten kunnen worden. Het meest aangeboden wordt de Zuidoost-Aziatische Ambonese doosschildpad (*Cuora amboinensis*). Het dier wordt ongeveer 20 cm lang. Het pantser is donkerbruin en tamelijk hoog gewelfd, bijna halfkogelvormig. Bij jonge dieren zijn drie kielen in de lengte te zien, die op oudere leeftijd verdwijnen. De kop heeft aan de zijkant gele en bruine strepen.

Aangezien de soort geen goede zwemmer is, bewoont hij in zijn herkomstgebied ondiepe, rustige wateren, zoals plassen, greppels en rijstvelden. De schildpad voedt zich met een mengeling van plantaardige en dierlijke kost. De passende temperatuur bij dit dier is 24 tot 30 °C, het hele jaar door. Ook deze soort wordt in Zuidoost-Azië algemeen als voedsel gebruikt.

Een andere, zeer mooie soort, is de Geelrand-doosschildpad (*Cuora flavomarginata*). Deze wordt ongeveer 16 cm lang en leeft in het zuiden van China, op Taiwan en het Ryu-Kyu eiland. Het pantser is bruin. Over de rug loopt een gele, onderbroken band. De kop is op de bovenkant olijfbruin, op de zijkanten lichtgeel, met een dunne, donkere streep achter de ogen.

De Geelrand-doosschildpad leeft in moerassen en rijstvelden. Bij deze soort leven de jongen voornamelijk in het water en eten gemengd voedsel. Naarmate ze ouder worden, komen ze meer op het land en eten ze bijna uitsluitend plantaardig voedsel. In overeenstemming met deze levenswijze dient hun onderkomen in huis een groot landgedeelte met schuilhoekjes te hebben.

Het watergedeelte kan het beste klein en ondiep zijn.

Geelrand-doosschildpad.

Het water dient in ieder geval niet dieper te zijn, dan het pantser breed is. Jonge schildpadjes van deze soort kunnen als jonge sierschildpadden gevoerd worden. Voor volgroeide schildpadden is groenvoer en fruit, af en toe met Vitakalk bepoederd, en bij gelegenheid een regenworm, het juiste voedsel.

Onverdraagzame mannetjes

Doosschildpadden staan bekend als vreedzaam, wat voor jonge dieren en wijfjes zeker opgaat. Bij geslachtsrijpe mannetjes ligt dit anders. Grote mannetjes van *Cuora amboinensis* vallen voortdurend hun medebewoners lastig en veroorzaken zo veel onrust. Ze kunnen daarom beter apart gehouden worden. Een poging, twee paar van *C. flavomarginata* tot voortplanting te bewegen, moest ik afbreken. Het ene mannetje gunde het andere mannetje geen rust, zowel op het land als in het water.

MUSKUSSCHILDPADDEN

Voor de liefhebber is er een interessante groep van waterschildpadden, die qua uiterlijk en levenswijze sterk afwijken van de moerasschildpadden: de muskusen modderschildpadden

(*Kinosternidae*).
Ment name de in de V.S. voorkomende soorten zijn goed te houden, omdat ze niet meer dan 10 tot 14 cm groot worden en verhoudingsgewijs weinig plaats innemen. Omdat ze onder elkaar en tegenover andere schildpadden erg onverdraagzaam zijn, kunnen ze beter apart, of paarsgewijs gehouden worden. In het laatste geval moet men niet alleen op het land, maar ook in het water schuilhoekjes creëren, om ongewenste intimiteiten te voorkomen. Kinosternidae zijn slechte zwemmers, die het liefste op de bodem rondlopen. Daarom dient de waterstand zó laag te zijn dat ze, op de bodem staand, lucht kunnen happen. De bodem onder water mag niet te glad zijn, dus geen kaal glas, maar kiezels, leisteen, of kunstgras.
De dieren zonnen geregeld, maar ze zijn hier niet zo sterk op aangewezen als de sierschildpadden.
Hun lievelingskostje wordt gevormd door waterslakken, waarvan ze de huisjes met hun krachtige kaken gemakkelijk kunnen kraken. Ieder ander dierlijk voedsel wordt echter ook graag gegeten. Ook planten worden regelmatig gegeten, maar niet door alle muskusschildpadden.

Scharnierend borstpantser.

De pantservorm van de Kinosternidae is matig gewelfd en langwerpig. De, meestal kleinere, mannetjes zijn te herkennen aan de staart, die niet alleen breder bij de aanhechting is, maar ook nog eindigt in een punt van hoornstof.
Het meest gehouden wordt de Muskusschildpad (*Sternotherus odoratus*). Deze soort komt in nagenoeg het hele oostelijke deel van de V.S. voor, van het zuiden van Canada tot de Golf van Mexico. Hij is te herkennen aan de twee lichtgekleurde lengtestrepen op de zijkanten van de kop.
Nauwverwant aan de Muskusschildpad, is *Sternotherus minor*, die in het zuidoosten van de V.S. leeft en daardoor wat meer warmteminnend is. Dit dier wordt 10-12 cm groot en onderscheidt zich van de Muskusschildpad door haar tekening, die uit talrijke

donkere punten en lijnen op een lichte ondergrond bestaat.

De *Sternotherus*-soorten hebben meestal een klein buikpantser, waarvan de voorzijde iets naar binnen getrokken kan worden, maar niet genoeg om de opening af te sluiten.

MODDERSCHILDPAD-DEN

De schildpadden van het geslacht *Kinosternon* hebben een aanzienlijk groter buikpantser dan de hierboven beschreven soorten. Dit pantser heeft twee dwarsspleten, waarlangs het voorste en achterste gedeelte zodanig kunnen bewegen, dat de openingen aan weerszijden volledig worden afge

sloten. Het algemeenst is de Oostelijke modderschildpad *Kinosternon subrubrum*, een schildpad van 10-13 cm, die in het zuiden van de V.S. voorkomt. Het is een nogal bazig en onverdraagzaam diertje, dat het beste alleen gehouden kan worden. Ook als men er mee wil kweken, is het beter om alleen tijdelijk paartjes te vormen. Iets rustiger in de omgang naar mijn ervaring, is de Gestreepte modderschildpad *Kinosternon baurii*. Deze soort wordt gekenmerkt door drie lichte lengtestrepen op het donkerbruine rugpantser.

Er komen nog meer Kinosternidae in het zuidwesten van Amerika en in Midden-Amerika voor, maar deze komen zelden in de handel.

ANDERE SCHILDPADDEN

Van de vele andere soorten waterschildpadden, die hier niet besproken zijn, wordt een enkele keer exemplaren aangeboden, voorzover ze tenminste niet beschermd zijn.

Lang niet iedere soort is echter geschikt om als huisdier te houden. Daarom is het zo belangrijk dat men zich goed laat voorlichten over dergelijke dieren, hetzij door vakliteratuur, hetzij door ervaren schildpadhouders. Zo is het goed te weten, dat de hier en daar aangeboden Bijtschildpad (*Chelydra serpentina*) snel groeit tot een lengte van 50 cm, waarbij hij een gewicht van 25 kg kan bereiken.

Muskusschildpad.

TIP: De laatste jaren worden nogal eens jonge schildpadjes van Aziatische weekschildpadden aangeboden. Laat u zich vooral niet verleiden tot het kopen van deze schildpadden, want ze worden zeer groot, het zijn onverdraagzame solisten en stellen zeer speciale eisen aan hun omgeving.

ADRESSEN

Nederlandse Vereniging voor
Herpetologie en Terrarium-
kunde Lacerta
Postbus 84
2630 AB Nootdorp
Ledenadministratie:
P.D. Gorseman
tel: 078-6123908, fax: 078-
6121550
Tijdschrift: 'Lacerta'

LITERATUUR

Rogner, M. Het terrarium.
Tirion, Baarn
ISBN 90 5210 0993

Jes, H. Terrarium houden. Tirion, Baarn
ISBN 90 5210 269 4

Philippen, H.D. Sierschildpadden. Tirion, Baarn
ISBN 90 5210 071 3

Wilke, H. Schildpadden. Tirion, Baarn
ISBN 90 5210 106 x

Adrian, C. Landschildpadden.
Tirion, Baarn
ISBN 90 5210 144 2

REGISTER

FOTO'S

De foto's zijn afkomstig van Peter Beck (blz. 4, 22 b, 23, 24 o, 26, 42), Horst Bielfeld (blz. 1 r, 24 o, 48, 49), Karl Albert Frickhinger (blz. 5), Dr. Fritz Fröhlich (blz. 9, 13, 16, 20 b, 53, 58), Hecht (blz. 17), Holzapfel (blz. 30 o), Burkard Kahl (blz. 44), Dr. Rudolf König (blz. 15, 21, 25, 32, uitklapper or), Werner Layer (blz. 7 b), Horst Mayer (blz. 8 r, 10 or, 18, 19, 59, uitklapper bl), Ingeborg Polascheck (blz. 28), Reinhard-Tierfoto (blz. 2 o, 30 b, 33, 36, 41 b), Schäfer (blz. 50 b, 50 m), Artur Wagner (blz. 51, 52), Margret Witzke (uitklapper o).
89 kleurenfoto's, de twee tekeningen zijn afkomstig van de firma EHEIM/F., Mayer (blz. 27) en Irmgard Engelhard (blz. 37)

Alle aanwijzingen in dit boek zijn op grond van zorgvuldig proberen en met de nieuwste kennis van zaken tot stand gekomen. De inzichten ontwikkelen zich echter voortdurend en het is raadzaam om van de ontwikkelingen op de hoogte te blijven. Dit kan bijvoorbeeld door vragen te stellen aan dierenartsen. Verder is het nuttig om de bijsluiters van medicijnen, allerlei gebruiksaanwijzingen en nieuwe wettelijke bepalingen goed te bestuderen.

COLOFON

Omslagontwerp: Rob Buschman
Vertaling en bewerking: drs. Joop de Leeuw

ISBN 90 5210 274 0
NUGI 410

© MCMXCV Franckh-Kosmos GmbH & Co., Stuttgart
© MCMXCVII voor de Nederlandse taal: B.V. Uitgeversmaatschappij Tirion, Baarn

Dit boek is gepubliceerd door
B.V. Uitgeversmaatschappij Tirion
Postbus 309
3740 AH Baarn

Extra

ZORGPLAN VOOR SIERSCHILDPADDEN

dagelijks

- Waterstand controleren
- Doen alle apparaten het nog?
- Zien de dieren er goed uit?

wekelijks

- twee- tot vijfmaal per week (afhankelijk van de ouderdom van de dieren) voeren en hierbij het gedrag van de dieren nauwlettend in de gaten houden
- één- tot tweemaal de toestand van het water controleren en dit geheel of gedeeltelijk verversen; indien aanwezig, filter verschonen
- éénmaal de voedselvoorraden controleren/aanvullen inkopen, watervlooien vangen, regenwormen zoeken
- dieren in de hand nemen, om hun conditie te bepalen (zie p. 44)

maandelijks

- jonge dieren wegen en gewicht opschrijven
- overwinterende dieren controleren

vier keer per jaar

- volwassen dieren wegen en gewicht opschrijven

in de herfst

- uiterlijk in september beslissing nemen, hoe de dieren zullen overwinteren

in het voorjaar

- afhankelijk van de overwinteringsmethode, in februari, maart of april de dieren weer uit hun winterslaap halen door ze langzamerhand aan hogere temperaturen te wennen. Wegen en hun conditie beoordelen

Extra

INSTRUCTIES VOOR DE VERZORGERS IN DE VAKANTIE

Soort: _____ Aantal: _____

Geslacht: _____ Bijzondere kenmerken: _____

Geboren op: _____ Gekocht op: _____

Belangrijke adressen _____

Dierenarts: _____

_____

_____

Dierenwinkel: _____

_____

_____

Overig: _____

_____

_____

Vakantieadres: _____

_____

_____

Aanwijzingen voor voeding en verzorging: _____

_____

_____

_____